Hazel Evans

100 ideas
para ganar dinero
sin salir de casa

ediciones

Servicio de información al lector

Tikal Ediciones publica anualmente una importante cantidad de libros sobre Naturismo, Salud integral, Terapias alternativas y Autoayuda.

Si desea recibir en su casa, sin compromiso alguno por su parte, información relativa a nuestras novedades, sólo tiene que enviar sus señas a:

TIKAL EDICIONES

Apartado de correos nº 181

17080 Girona

También está a su disposición nuestra dirección de correo electrónico. Dirija sus comentarios, sugerencias y opiniones a:

Susaeta@lix.intercom.es

Título original: *Making money from your home*

© Piatkus
©Susaeta, S.A. (versión castellana)
Tikal Ediciones / Unidad Editorial
Rambla de la Llibertat 6-8 - 17004 Girona (España)
Teléfono y fax (972) 22 28 78
<Susaeta@lix.intercom.es>

Traducción: Darío Giménez de Cisneros
Diseño de cubierta: Antonio Tello
Impreso en la U.E.

ÍNDICE

INTRODUCCIÓN

La siguiente es una situación corriente en los tiempos que vivimos: su casa, de repente, se ha convertido en una carga. Quizá es demasiado grande: los chicos se han ido a correr mundo y ahora le sobra una habitación. Pero se resiste a dejarla porque, al fin y al cabo, es su hogar. Por otra parte, quizá la compró sin pensárselo bien y ahora se encuentra entrampado en una hipoteca a largo plazo y una propiedad invendible. También puede ocurrir que no pueda deshacerse de su casa por otra razón: la pérdida de su pareja o la pérdida de su trabajo.

Haga frente a la situación de un modo positivo: ha invertido mucho en su casa, pero también puede sacarle un buen provecho. Esto lo puede hacer de dos maneras: consiguiendo que el edificio sea rentable por sí mismo o convirtiéndolo en el lugar de trabajo, el trampolín desde el cual iniciar una nueva carrera.

Por tanto, si acaricia la idea de obtener un sobresueldo, si anda en busca de nuevos intereses o incluso un nuevo modo de vida que no le exija una gran inversión de capital, tiene que pensar en la forma de sacarle provecho a su casa.

Como apasionada propietaria de casas, sé muy bien lo que significa estar en una situación de este tipo. Hace algunos años me enamoré de un viejo caserón en una aldea de Provenza. Me hice con una segunda hipoteca y lo compré. Después de dos años de costosos trabajos de remodelación, me encontré con más habitaciones de las que necesitaba… y con muchas facturas. Así que decidí hacer que la casa se autofinanciase, y tuve una excusa para ir por allí más a menudo. Empecé albergando, durante las vacaciones de verano, a personas que querían escribir o pintar, lo que funcionó más allá de mis sueños más desquiciados.

Ahora es un centro artístico de prestigio, dirigido por mi hija y mi yerno, que se llena todo el verano, de modo que yo he tenido que mudarme y comprar otra casa para vivir.

Puede ser, por supuesto, que no tenga necesidad de vender su casa o que no quiera hacerlo. Sus motivaciones para leer este libro pueden centrarse más bien en su deseo de explotar el potencial económico de un gran jardín. Es posible que acabe de jubilarse y disponga de tiempo. O podría ser una de las miles de personas que cada año acaban aburriéndose del trabajo a horario fijo o se encuentran en el paro de modo inesperado y están pensando en montar un negocio por su cuenta. O quizá no le sea posible trabajar fuera de casa a causa del crecimiento de su familia o porque tiene algún pariente que cuidar y, sin embargo, necesita hacer algo estimulante.

Cualquiera que sea el motivo, encontrará ayuda en este libro. Puede poner en práctica todas las ideas que contiene y adaptarlas a su situación. Todas ellas se han escrito a partir de experiencias prácticas, puesto que yo he iniciado más de veinte negocios domésticos, que van desde una agencia de modelos caninos hasta un viñedo, así que sé de lo que hablo. ¿Que qué ocurrió con mis negocios? Me siento orgullosa de afirmar que ninguno de ellos se fue a pique. Me limité a venderlos y empezar con otra cosa.

APROVECHAR LA OCASIÓN

Los períodos de recesión, por extraño que parezca, pueden ser un buen momento para montar un pequeño negocio, a condición —y éste es un punto importante— de que no tenga que arriesgar su capital o pedir prestadas grandes cantidades de dinero para el despegue. Tiempo atrás, cuando el clima económico era malo, mucha gente convirtió una afición en un éxito empresarial. La famosa Copa Ryder, de renombre en todo el mundo del golf, recibe su nombre de un tal señor Ryder que empezó a cultivar y vender semillas en el patio de su casa a mitad de la recesión de los años veinte. Desde allí, llegó a edificar un negocio millonario... que le permitió entregarse a su pasión por el golf.

Al margen de la situación económica, tenga en cuenta que hay por ahí gente dispuesta a gastar dinero... sobre todo en algo que realmente codicia. Y es posible que usted sea la persona que les proporcione ese algo. Posiblemente, no reunirá una fortuna al momento, pero su empresa bien podría costearle unas vacaciones familiares en su primer año. Y, lenta y firmemente, convertirse en una buena fuente de ingresos.

¿Jubilado?

La edad de la jubilación, justo cuando la mayoría de las personas están pensando en darse un respiro, es en muchos aspectos el mejor momento para empezar a trabajar por cuenta propia; sobre todo si se ve usted arrastrado, a su pesar, hacia una vida inactiva. Ha conseguido usted la seguridad de una pensión, por reducida que sea, y, a condición de que su idea no implique poner en juego tan preciado capital o se coma su fondo de pensiones, tiene todo el tiempo para dedicarlo a algo nuevo. Si sus pretensiones económicas no son desesperadas, puede usted empezar un negocio de forma modesta, hasta convertirlo, con el tiempo, en un gran negocio.

¿Desempleado?

Si se encuentra en el paro y ha perdido la esperanza de conseguir otro trabajo, puede montar un negocio por su cuenta gracias a las ayudas que se conceden para este tipo de proyectos empresariales. Muchos pequeños empresarios tuvieron ayudas como éstas para emprender sus negocios.

Tanto en caso de jubilación como de desempleo, las circunstancias le impiden seguir con su trabajo, pero le proporcionan una ventaja adicional: le impulsan a hacer uso del cúmulo de experiencia práctica adquirida en cualquier terreno. En pocas palabras, le ponen en condiciones de «llegar, ver y vencer».

¿Soledad?

Trabajar en casa puede ser un gran antídoto contra el aburrimiento o la infelicidad, pues le proporciona una motivación a su vida. Puede ser también una excelente manera de hacer amistades. La mayoría de las formas más gregarias de trabajar en o desde casa pueden proporcionarle una buena ocasión de conocer gente, dados los contactos locales que serán necesarios. Si hasta ahora se ha sentido solo, esto le proporcionará la ocasión de sentirse integrado en la comunidad. Sobre todo, ganar dinero por su cuenta le proporcionará independencia y confianza en sí mismo… le hará sentirse más autosuficiente. Estas cualidades le convertirán en una persona mucho más interesante y atractiva para los demás. Y en este punto, como ocurre con frecuencia, empezará a hacer nuevos amigos.

No más desplazamientos

Trabajar en casa no es algo nuevo. Durante siglos fue la cosa más normal. Pero la revolución industrial desarraigó a la gente de sus hogares para arrastrarlos a las grandes ciudades. Ahora, en los años noventa, se está volviendo a aquellos primeros tiempos. Gracias a las nuevas tecnologías como el fax, el teléfono y el ordenador, muchas personas que hoy día se desplazan a fábricas y oficinas harán el mismo trabajo en su casa en un futuro próximo. Al fin y al cabo, gracias a las líneas telefónicas «compartidas», empieza a ser del todo posible mantener una discusión en profundidad entre varias personas que actualmente tienen que reunirse. Y pronto podrán hacerlo viéndose las caras a través de videoteléfonos.

Piense en todas las ventajas que comporta trabajar en casa. No tiene el gasto, ni el desgaste, de viajar cada día, con lo que ahorra dinero, tiempo y nervios. Y es probable que no tenga que llevar una ropa especial; puede trabajar todo el día, si quiere, en chándal o en pantalón corto, y con zapatillas deportivas, en vez de ir con traje y corbata.

También puede empezar y acabar cuando quiera. Es usted libre, no tiene que dar explicaciones a nadie, se acabó aquello de «de nueve a una y de cuatro a siete». Puede establecer sus propios horarios, ajustándolos a los de su familia y amigos. Como es usted su propio jefe, es usted quien toma las decisiones. Y no tiene que disponer necesariamente de una formación especial: sus habilidades domésticas pueden ser más que suficientes.

CÓMO USAR ESTE LIBRO

Puede que ya sepa exactamente cómo desea trabajar en casa, o puede que esté barajando una serie de ideas diferentes; incluso es posible que necesite consejo. Para sacar el mejor provecho de este libro, conteste antes que nada el cuestionario del capítulo 1. Eso le obligará a pensar detenidamente en su proyecto y a decidir sus posibilidades de sacarlo adelante.

Después, acuda al capítulo que más le interese y léalo detenidamente.

¡VAMOS ALLÁ!

No permita que su nombre pase a engrosar la lista de los empresarios que se han ido a pique. La mayoría de ellos necesitaron grandes inversiones en género o en equipo, y la negociación de préstamos bancarios para financiarlas. O quizá proporcionaban un servicio que ya nadie necesitaba. En su caso, deberá investigar el mercado cuidadosamente, invertir sólo lo que pueda permitirse y recuperar rápidamente su dinero.

Así que vamos allá. Puede que no necesite más que una mesa y un teléfono para empezar, o puede que necesite convertir una habitación que le sobra en estudio-dormitorio para sacarle un dinero extra. En cualquier caso, ¡es usted quien ha de arrancar!

CAPÍTULO 1

Decida lo que quiere hacer y dispóngase a empezar

Hágase esta pregunta antes de lanzarse a cualquier empresa: «¿Lo hago porque estoy convencido de que quiero hacerlo?».

La elección del trabajo es importante. Trabajar solo en casa en algo que le desagrada puede ser peor, en muchos aspectos, que hacer el mismo trabajo en una oficina. Y no sólo porque no tiene a nadie con o contra quien refunfuñar. Es vital que disfrute con lo que va a hacer. Sus respuestas al siguiente cuestionario le ayudarán a decidir si trabajar en casa sería apropiado para usted y, si es así, qué tipo de trabajo resultaría más rentable para alguien en su situación y circunstancias particulares.

CUESTIONARIO: DECIDA QUÉ LÍNEA DEBE SEGUIR

Responda sí o no a las siguientes preguntas: anótese dos puntos por cada respuesta positiva y uno por cada negativa.

Serie uno

Sí	No	
☐	☒	¿Hace la mayoría de sus amigos en el trabajo?
☒	☐	¿Suele sentirse solo?
☒	☐	¿Le gusta discutir ideas con otras personas?
☐	☒	¿Le gusta trabajar en un ambiente bullicioso?

☐	☑	¿Escucha mucho la radio cuando está solo?
☑	☐	¿Disfruta formando parte de un equipo?
☑	☐	¿Le gusta comer fuera de casa?
☑	☐	¿Le desagrada su empresa?
☑	☐	¿No está completamente seguro de qué trabajo quiere hacer?
☑	☐	¿Sueña con ser rico?
☑	☐	¿Está harto de desplazamientos?
☐	☑	¿Nota que está fuera de toda posibilidad de promoción?
☐	☑	¿Odia al jefe?
☐	☑	¿Cree que conseguirá relajarse mejor en casa?
☐	☑	¿Prefiere no correr riesgos?

Serie dos

Sí	No	
☐	☑	¿Charla con el portero y con la telefonista en su trabajo, y con la gente en las tiendas?
☐	☑	¿Está pletórico de energía?
☑	☐	¿Es bueno persuadiendo a la gente?
☐	☑	¿Mantiene de modo natural una actitud jovial?
☐	☑	¿Conoce bien a sus vecinos?
☐	☑	¿Lleva una vida social intensa?
☐	☑	¿Puede enfadarse si tiene que hacerlo?
☑	☐	¿Nunca, o pocas veces se siente azarado?
☑	☐	¿Se las arregla bien con personas difíciles?

Serie tres

Sí	No	
☐	☑	¿Le resulta difícil empezar a trabajar por las mañanas?
☑	☐	¿Le preocupa la competitividad?
☐	☐	¿Se rinde con facilidad?

Sí	No	
☒	☐	¿Tiene tendencia a dejar que las cosas le depriman?
☐	☒	¿Le desagradan los cambios?
☒	☐	¿Le gusta tener a alguien en quien confiar?
☐	☒	¿Prefiere estar en casa que en el trabajo?
☒	☐	¿Le disgusta correr riesgos?
☒	☐	¿Le gusta que le dejen trabajar sin interrupciones?
☐	☐	¿Ha tenido siempre la impresión de que era mejor que sus superiores en su trabajo?
☒	☐	¿Tendrá que emplear a otras personas para manejar algunos aspectos de su potencial negocio?
☒	☐	¿Le preocupa la seguridad?
☒	☐	¿Le gusta fijar una rutina?
☐	☒	¿Es más bien tímido?
☐	☐	¿Pretende mantenerse al margen de la competencia inexorable?

Serie cuatro

Sí	No	
☐	☒	¿Tiene usted algún capital del que echar mano?
☒	☐	Si necesita ayuda financiera, ¿podría conseguirla?
☒	☐	¿Mantiene buenas relaciones con su banco?
☐	☒	¿Percibe una pensión?
☒	☐	¿Sabe usted algo sobre el IRPF, el IVA y los seguros sociales?
☒	☐	¿Podría iniciar su negocio ya, en sus ratos libres?
☐	☒	¿Es «bueno» con el dinero?

Serie cinco

Sí	No	
☒	☐	¿Trabaja su pareja o está su familia fuera la mayor parte del día?
☒	☐	¿Les ha hablado de sus ideas? ¿Les han gustado?
☒	☐	¿Ha pensado meter a su familia en el negocio?

15

LO QUE REVELAN SUS RESPUESTAS

Serie uno

Cuanto más baja sea su puntuación aquí, más posibilidades tiene usted de ser feliz llevando un negocio desde su casa, puesto que es lo bastante autosuficiente para trabajar por su cuenta sin sentir la necesidad de «arroparse» con la gente. Tampoco siente la necesidad de implicar a otras personas.

Si su puntuación va de 22 a 30, es posible que no disfrute particularmente con su trabajo actual, pero conviene que lo piense detenidamente antes de dejarlo en este momento. Es obvio que recibe la mayoría de sus estímulos de un ambiente de equipo. Si se decide a trabajar en casa, asegúrese de que lo hace en una ocupación que le permita mantenerse en contacto con otras personas de modo permanente. Afortunadamente, hay mucho donde elegir.

Serie dos

Si su puntuación está entre 8 y 18, es obvio que es una persona positiva, sociable, que probablemente no se desanima con facilidad. Tiene la resistencia suficiente para ser capaz de salir adelante por sí mismo desde su casa.

Si su puntuación es inferior a 6, no significa que no sea capaz de trabajar en casa, sino que proporcionando algún tipo de servicio se sentiría más feliz que dedicándose a una labor de ventas. Todos tenemos que promocionarnos a nosotros mismos o nuestro trabajo, pero hará bien en dejar en manos de otra persona la venta directa de tipo agresivo.

Serie tres

Aquí una puntuación baja le asegura el éxito empresarial. La vida es dura y hay que tener experiencia y resistencia para enfrentarse con ella. Cuanto más alta sea su puntuación, menos posibilidades de éxito tiene usted en el manejo de un negocio. Si su puntuación está entre 20 y 32 y quiere trabajar en casa, lo mejor que puede hacer es conseguir que lo contraten como colaborador por cuenta de otro o realizar alguna labor de tipo creativo, más que empeñarse en llevar por sí mismo un negocio estructurado.

Serie cuatro

Algunos negocios se pueden iniciar con escasos recursos, aunque siempre es mejor disponer de algún tipo de red de seguridad. En este caso, cuanto más alta sea su puntuación, mejores posibilidades tiene usted de enfrentarse con facturas inesperadas.

Si su puntuación es inferior a 6, no intente iniciar un negocio que necesite financiación ajena, ni se comprometa en préstamos bancarios que quizá le resulte difícil afrontar. Será mucho mejor empezar con poco e ir creciendo gradualmente; y mejor todavía si puede usted empezar en sus ratos libres, conservando su actual empleo.

Serie cinco

Iniciar una nueva carrera es todo un desafío, pero si trata de hacerlo sin contar con ninguna cooperación o incluso con la abierta hostilidad de quienes le rodean, puede resultarle muy desmoralizante. Si su puntuación es de 5 o 4, sólo debería trabajar en casa a condición de que sea en alguna actividad que no interfiera en su vida familiar; de lo contrario tendrá problemas.

Si su puntuación está entre 6 y 8, sin embargo, significa que su familia le apoya e incluso que quizá le ayudará a alcanzar el éxito.

ALGUNAS PREGUNTAS CRUCIALES

Cualquiera que sea su puntuación en el cuestionario anterior, las siguientes preguntas, y sus respuestas, le ayudarán a evaluar el trabajo al que piensa dedicarse y le señalarán en qué aspectos debe trabajar más antes de intentar llevar a la práctica sus ideas:

- ¿Qué quiere conseguir?
- ¿Tiene algo valioso que vender?
- ¿Existe alguna competencia?
- ¿Lo están haciendo bien?
- ¿Qué tipo de gente vive en su vecindad inmediata?
- ¿Qué tamaño tiene su mercado potencial?
- ¿Qué sabe acerca de lo que piensa hacer?
- ¿Necesita alguna formación?
- ¿Tiene el equipo que necesita?
- ¿Existen algunas leyes, reglamentaciones u ordenanzas locales que debería conocer?

DISPUESTO A EMPEZAR

Antes de nada, compruebe qué es lo que puede y lo que no puede hacer dentro de los límites de su propia casa. Si tiene una hipoteca, por ejemplo, necesita el permiso del prestamista para alquilarla total o parcialmente. Además, muchas casas están sometidas a contratos extraños. Por ejemplo, a mi hermana, aunque nunca ha tenido intención de hacerlo, no le está permitido criar perros en su casa de campo. Algunas fincas pueden estar sujetas a contratos que no permiten al ocupante o propietario dedicarlas a ningún tipo de negocio. No obstante, consulte con su abogado si, como suele ocurrir con frecuencia, las normas se pueden esquivar. Esas normas suelen referirse a un tipo de negocio que exija el paso frecuente de personas por la puerta, no a uno que sólo consista en, digamos, hablar por teléfono o en realizar una actividad manual cuya producción se vende directamente a las tiendas más que a un público que acuda personalmente.

¿Necesita licencia municipal?

Millares de personas se dedican a negocios domésticos que son técnicamente ilegales. ¿Por qué? Porque deberían haber obtenido una licencia municipal para un «cambio de uso» de sus casas. Otras deberían haber comunicado sus intenciones a sus prestamistas hipotecarios o a sus caseros. Muchas llevan años haciéndolo tranquilamente y probablemente nunca llegarán a descubrirlas, pero esa posibilidad no se puede descartar. Y la ignorancia de las leyes no exime de su cumplimiento.

Nadie quiere enredarse con el papeleo burocrático a menos que sea absolutamente necesario, pero sería una pena ver su floreciente negocio clausurado por un funcionariado vengativo porque se negó a comunicarles lo que estaba haciendo. Tenga en cuenta, además, que si necesita una licencia municipal tardará más de tres meses en conseguirla, así que espabílese.

Desde la última recesión económica, las autoridades han adoptado una actitud más tolerante para con la gente que lleva negocios domésticos. Así que lo mejor que puede hacer es sondear a sus autoridades locales antes de empezar, cuando aún está en condiciones de plantear cuestiones generales más que preguntas específicas. Dicho de otro modo, no les ponga sobre aviso diciéndoles: «Estoy pensando en montar una juguetería en mi casa». En vez de eso, llame al departamento de licencias municipales. Probablemente le pondrán con uno de los oficinistas. Pregúntele si, en general, es necesario tener una licencia municipal para montar un determinado tipo de negocios. Puede que le ofrezcan un formulario, más que una opinión. También puede resolverlo acudiendo a un asesor mercantil.

Necesita conseguir una licencia oficial para trabajar en casa en las siguientes situaciones:

- Si se propone añadir una dependencia o taller, o reconvertir su garaje de forma que afecte a la estructura del edificio. O si se propone cambiar el uso de su vivienda, convirtiendo una parte de ella en cafetería, por ejemplo, o en una perrera.
- Si va a cambiar la estructura del edificio.
- Si va a llevar a cabo actividades mercantiles en su casa, como fabricar o reparar objetos a gran escala y de modo ostensible.
- Si va a vender cosas en su casa directamente al público. O si va a montar, por ejemplo, un salón de belleza o un centro de salud. No entrarían en este apartado las reuniones de venta esporádicas, las visitas ocasionales de compradores o de alguien que acuda a cortarse el pelo.
- Si va a usar máquinas ruidosas o a producir olores que puedan molestar a sus vecinos.
- Si va a recibir constantemente visitas relacionadas con su negocio, y su calle se colapsa de coches que aparcan a cualquier hora del día.
- Si desea exhibir cualquier tipo de letrero permanente.
- Si va a dedicarse a alguna actividad sin precedentes en la zona donde vive. La llegada de camiones para cargar o descargar mercancías en medio de una zona residencial enseguida alertará a sus vecinos de que algo está pasando. Sin embargo, si vive en medio del campo o cerca de un polígono industrial, nadie observará nada anormal.

Por lo general, no tendrá que solicitar licencia municipal en las siguientes situaciones:

- Si va a llevar un negocio desde su casa, más que producir cosas. Es decir, si su trabajo consiste en utilizar el teléfono o si monta algún tipo de agencia y, por tanto, no está elaborando ningún producto final.
- Si su casa sigue siendo esencial y principalmente su vivienda y conserva el aspecto de un edificio residencial.

- Si no utiliza la mayor parte de la casa como taller u oficina.
- Si no emplea muchas máquinas. Uno o dos ordenadores, una máquina de coser o un telar pueden pasar. Hasta cinco máquinas de este tipo pueden ser vistas sin levantar sospechas.
- Si las visitas de negocios a su casa son esporádicas. Todo el mundo recibe visitas, pero si éstas son frecuentes, pueden molestar a los vecinos y levantar sus sospechas.

Todo es una cuestión de escala. Puede usted montar cualquier tipo de pequeño negocio sin que sea considerado un «cambio de uso». Sólo cuando el negocio se hace grande y tiene éxito surgen los problemas. Con suerte, para entonces le irá tan bien que estará pensando en establecerse en otra parte.

Todo depende de la actitud de los vecinos. Es esencial contar entre ellos con amigos a los que explicarles lo que se dispone a emprender, a menos que tenga una buena razón para creer que no les parecerá bien. Muchas personas con negocios domésticos adoptan la actitud del avestruz y entierran la cabeza ante las normas y reglamentos. Y siguen trabajando en casa, confiando en que no necesitan licencia para hacerlo, pero sin tratar de encontrar la seguridad. Esto funciona bien a no ser que un vecino malicioso decida delatarlo. Las personas que corren mayor riesgo de ser descubiertas de este modo son aquellas que viven en una tranquila calle residencial o en una finca de «alto standing». Por ejemplo, sería difícil montar un taller de reparación de motocicletas sin que los vecinos se enterasen.

Si las autoridades lo descubren, no pueden meterle en la cárcel. Lo peor que puede ocurrir es que los vecinos se quejen al ayuntamiento y éste le ordene cesar en su actividad. Le pueden multar, aunque esto sólo ocurriría si, por ejemplo, hubiera construido un taller sin licencia, lo estuviera utilizando para alguna actividad obviamente industrial y se negara a clausurarlo cuando se lo demanden.

Si solicita usted la licencia, entonces los funcionarios lo comunican al departamento de contribuciones. Alguien pasará a visitarle, comprobará qué parte de la casa está utilizando para el negocio y tendrá usted que pagar una tasa mercantil por esa parte, lo cual es una buena razón para desarrollar sus actividades en una sola habitación.

Ordenanzas

La aplicación de algunas leyes está en manos de las autoridades locales y puede ser diferente de unas zonas a otras. Por lo general, estas ordenanzas están relacionadas con la sanidad y la seguridad, no con el uso al que se destine el edificio. A veces le pueden ser favorables y protegerle en cuanto a su salud o a su horario, si trabaja en casa por cuenta ajena, por ejemplo.

CóMO SER FELIZ TRABAJANDO EN CASA

Fíjese un ritmo de trabajo y manténgalo

Sue sabe que es una «persona mañanera», así que inicia su trabajo de escritora en cuanto se levanta. Probablemente está «rumiando» sus ideas mientras se lava y se viste. A mediodía hace un alto para encargarse de las tareas domésticas rutinarias y almorzar. «Para entonces ya he escrito varios miles de palabras —dice Sue— y por la tarde me puedo tomar las cosas con más calma».

Jim, la otra cara de la moneda, trabaja mejor por las noches. «Como vivo solo, puedo hacer lo que quiera», afirma. Dedica las mañanas a actividades rutinarias (deja la casa limpia tan rápidamente como le es posible), y hace llamadas de trabajo y tareas administrativas. A media tarde, se mete de lleno en su trabajo de contable, que termina a punto para ver el noticiario de televisión de las diez. Jim reconoce que algunas veces se le pegan las sábanas y no se levanta hasta las nueve y media, aunque considera que como trabaja hasta tarde tiene derecho a ello.

Estructure su jornada

Seguramente tendrá que planificar su tiempo para ajustarlo al horario escolar o para darles la merienda a los chicos. Estructure su jornada. Actúe profesionalmente al hacerlo y establezca los horarios adecuados. Mantenga el descanso para comer — no coma bocadillos sobre la marcha— y, si depende del teléfono para trabajar, conecte el contestador automático durante la hora de comer y así resistirá la tentación de cogerlo cuando suene. Cierre tras de sí la puerta de su lugar de trabajo o guarde sus papeles en el escritorio cuando haya acabado.

Mary, que es programadora informática, inicia su jornada puntualmente a las nueve de la mañana llamando por teléfono a un amigo que también trabaja en su casa. «Nos turnamos en llamarnos para decirnos: "Acabo de empezar en este momento…". No nos ponemos a charlar, simplemente nos estimulamos. Y funciona realmente bien. Además, los viernes quedamos para comer en su casa o en la mía y comentamos cómo ha ido la semana.»

Aprenda a evitar las interrupciones

Tómese en serio su trabajo y espere lo mismo de los demás. Sólo conseguirá que la gente que le rodea respete lo que está haciendo si usted mismo no lo menosprecia.

Su pareja, si es que la tiene, debe ser consciente de que está haciendo un trabajo digno, aunque sea en casa, incluso en el caso de que no le reporte todavía muchos beneficios. Él o ella podrían ocuparse de las tareas domésticas rutinarias, como ir a la tintorería o llamar por teléfono al paleta o al fontanero. Al fin y al cabo, igualmente tendrían que hacerlo si no estuviera en casa. Así que no se convierta en trabajador doméstico y en esclavo de las faenas de la casa. Eso le haría sentir que su trabajo no tiene ninguna importancia. ¡Y recuerde que sí la tiene!

SU FAMILIA: ¿UNA AYUDA O UN ESTORBO?

Si tiene familia, sus miembros van a ser sus primeros clientes, pues va a tener que venderles a ellos la idea antes de empezar con los consumidores de fuera. Es posible que al principio piensen que está loco o que sólo se trata de un capricho; pero cambiarán de opinión cuando lleguen los primeros pedidos y usted les proponga celebrarlo.

Es vital convencerles de que lo que está haciendo es un trabajo, no un entretenimiento. Es perfectamente posible tener éxito incluso si tiene una pareja que encuentra divertido o fastidioso lo que está haciendo. En efecto, muchas empresas que han tenido éxito se han iniciado después de superar los impedimentos de un marido o una esposa, más que con su ayuda. Un ejemplo: James, que siempre fue un pintor con talento, se encontró de pronto en el paro. Después de pasar un mes deprimido, escribiendo cartas y recibiendo negativas, decidió concentrarse en el arte mientras tenía aún algo de dinero del paro para mantener a su familia. Se especializó en retratos y empezó pintando gratuitamente los de una o dos celebridades locales, a cambio del derecho a exhibirlos a nivel local como ejemplos de lo que era capaz de hacer. Ahora obtiene unos ingresos respetables de sus pinturas, aunque su mujer, Jane, todavía se refiere a ello como «tus chapuzas» y le echa en cara el tiempo que pasa en su improvisado estudio.

Consiga que se pongan de su parte

Ponga en marcha a su familia. Nunca se es demasiado joven para empezar. Mi nieta Jessica ha estado ayudando a poner la mesa durante nuestras vacaciones desde que tenía cuatro años. Ahora lo hace ella sola. A los críos se les puede mantener ocupados y hacerlos felices si «ayudan» en la cocina con un poco de pasta sobrante y una tabla.

La persona más importante en una empresa, en mi opinión, no es el director general, sino la primera que da la cara, ya sea la que se sienta tras el mostrador de recepción o la que contesta al teléfono. Y a medida que crezca su negocio tendrá usted que ir adiestrando a los que le rodean para que contesten adecuadamente al teléfono. Recuerdo que en cierta ocasión trataba de ponerme en contacto con una pintora de talento para comprarle un cuadro. Desgraciadamente, mi empeño falló porque cada vez que la llamaba por teléfono me topaba con la voz de su hijo, un adolescente recalcitrante que, obviamente, nunca se preocupó de transmitirle mis mensajes. Así que lo dejé correr y ella perdió una ocasión de vender.

Afortunadamente, existe un remedio sencillo: compre un contestador automático y téngalo conectado siempre que no pueda contestar personalmente. Si algún miembro de su familia coge el teléfono antes que usted (un hábito corriente entre los jovencitos), enséñeles a contestar con una voz jovial. Sobórneles, si es necesario, dándoles un pequeño porcentaje si cierra el trato.

Cómo controlar a los niños

Los niños también tienen que respetar lo que está haciendo. Es posible que tenga usted que estructurar su jornada en función de ellos. Estos, por su parte, han de aprender a contestar al teléfono de manera responsable. Y ser conscientes de que su lugar de trabajo es sagrado: no les permita tocar sus herramientas, papeles o máquinas. Los ruidos de fondo o los gritos, ladridos de perros, alborotos o juegos ruidosos son un riesgo con el que se enfrenta todo trabajador doméstico cuando trata de convencer a un cliente de que él o ella es un profesional. Así que un teléfono sin hilos es una inversión que vale la pena si tiene una familia joven y ruidosa. Con él podrá desplazarse a un rincón tranquilo de la casa y hasta sentarse en el coche para atender llamadas de negocios.

Si tiene niños pequeños y tiene amigos y vecinos en circunstancias similares, organice un sistema de turnos para cuidarlos. ¡Esto podría ser incluso una oportunidad de empleo para alguien! Tenga a mano un surtido de vídeos para casos de emergencia. La mayoría de los niños soportarán dos cintas enteras antes de mostrar su aburrimiento.

Deliciosos animalitos

Que sus mascotas no molesten es particularmente importante si recibe en casa visitas de negocios. Puede que a usted le gusten los gatitos con su gracioso corretear, pero puede que a sus visitantes no les hagan ninguna gracia. Recuerdo una situación muy divertida, cuando vino a verme un joven imponente, funcionario municipal, con intención de entrevistarme para un informe. Cuando se sentó a mi lado en el sofá, el perro y el gato saltaron a su regazo y no hubo forma de moverlos de allí. ¡Suerte que no estaba tratando de venderle algo!

Ponerse a trabajar

Trabajar en casa no es lo mismo que trabajar en una oficina. No está sujeto a la disciplina del horario. Tiene que adiestrarse para no ser desordenado y convertir toda la casa en una oficina o taller con trastos esparcidos por todas partes. Y si está acostumbrado a que le digan lo que ha de hacer, al principio tendrá dificultades para motivarse y arrancar. Es toda una tentación tomarse varias tazas de café por la mañana antes de empezar. Y en una casa existen aún otras muchas distracciones: camas por hacer, césped por cortar, ropa por lavar… Es fácil que se quede sin horas de trabajo si se entretiene en esa clase de tareas.

También tiene que cultivar su capacidad de resistencia, sobre todo al cabo de varias semanas, cuando haya desaparecido el entusiasmo inicial. Y tiene que pensar constantemente en las prioridades: qué es lo primero que hay que hacer. Nadie se lo va a decir. En muchos aspectos, es más fácil acudir a un lugar de trabajo; tener gente trabajando a su alrededor hace que le sea más fácil arrancar y persistir. Y si ha elegido un tipo de trabajo en solitario es posible que, al principio, eche de menos tener compañía. Pero eso no debería durar mucho. Al fin y al cabo, no ha hecho más que cambiar de ritmo.

Todos estos obstáculos han de ser superados, y esto le será mucho más fácil si ha elegido el trabajo más adecuado a su personalidad.

Si va a llevar un negocio en el que tenga que recibir visitas deberá disponer de un lavabo en la planta baja. Resulta embarazoso tener que acompañar a la gente por toda la casa hasta un baño situado en el piso de arriba, sobre todo si tiene las camas sin hacer y las puertas de los dormitorios abiertas.

Si no tiene un lavabo en la planta baja, recuerde que hoy día es fácil instalar uno en cualquier parte. Puede adquirir un modelo de los que incorporan un sistema de bombeo eléctrico, lo que significa que no tiene por qué conectarlo directamente con la cañería de agua o los desagües.

ESTÍMULOS PERSONALES

Si le resulta difícil iniciar el trabajo cada día —y eso nos pasa a todos—, inténtelo utilizando los siguientes trucos: mientras toma el desayuno, déjese llevar por una inocente fantasía sobre el éxito que va a tener, piense en el coche que se va a comprar cuando consiga su primera gran oportunidad, en la envidia que van a sentir sus amigos. Al final de cada jornada, deje un proyecto inacabado: una novela con una frase sin concluir, una carta a medio escribir, un traje sólo hilvanado… Sabrá exactamente lo que tiene que hacer cuando empiece a trabajar a la mañana siguiente y esto le introducirá de lleno en la jornada.

El que paga es usted

Si es un empleado por cuenta ajena, puede tomarse pequeños descansos para charlar con los colegas, comentar el programa de televisión de la noche anterior o un partido de fútbol, o tomarse una taza de café. Durante todo ese tiempo le siguen pagando. Puede ponerse enfermo un día o dos sabiendo que no pierde sus ingresos. O puede pasarse todo un día en reuniones interminables, sin producir realmente nada, pero sin ver mesmado su salario. También puede usar los artículos de escritorio de la oficina del modo más extravagante que se le ocurra, así como el teléfono, sin preocuparse para nada de la factura. Del mismo modo, si tiene un problema con el ordenador o con la fotocopiadora, y hasta con su coche, si es de la empresa, sabe que alguien correrá con los gastos de las reparaciones.

Pero desde ahora, como trabajador doméstico, va a tener que preocuparse por el lado económico de las cosas. Su vida laboral va a basarse en la escasez, y eso le llevará a la riqueza.

Aproveche el tiempo

En el futuro va a tener que ser estricto con los visitantes ocasionales que no pretenden otra cosa que hacerle perder el tiempo. Desde el comienzo, haga saber a sus amigos y vecinos lo que está haciendo, de manera que respeten sus horas de trabajo y no le entretengan al teléfono o tomando un café. No olvide comportarse de manera igualmente estricta consigo mismo, pero planifique adecuadamente su tiempo libre. Los fines de semana y los atardeceres no deberían pillarle esclavizado, a no ser que esté justo en sus comienzos o terminando

28

un trabajo urgente. Si su actividad empresarial no le deja tiempo para el descanso, ha de ser replanteada.

Ponerse en marcha

Ha tomado la decisión de trabajar en casa. Sabe lo que quiere hacer, lo ha investigado adecuadamente y está seguro de que tiene un mercado. Ahora llega el momento de arrancar. Y lo primero que tiene que hacer es encontrar un lugar de trabajo.

El mejor estudio o taller posible es una habitación que pueda dejar cerrada una vez finalizado el trabajo diario. A falta de esto, todo lo que necesita puede reducirse a un discreto escritorio en un rincón de la sala de estar. Piense creativamente en el lugar que va a destinar a centro de trabajo. Haga que una habitación de su casa tenga una doble vida secreta: Lisa, que es peluquera, necesitaba un lavabo para enjabonar la cabeza de sus clientas, pues su cuarto de baño era demasiado estrecho para tal fin. Así que instaló uno en un rincón de su dormitorio, y convirtió aquella habitación en un salón de peluquería. Su tocador hizo perfectamente la función de centro para secar y peinar, y cuando la habitación no se usa como peluquería (el equipo se guarda en el fondo de un armario), el lavabo sigue siendo muy útil.

Mary, que es costurera, utiliza como taller su enorme cocina de estilo campestre, aunque usted no la reconocería como tal. La larga mesa plegable es perfectamente adecuada para el corte, y la máquina de coser se acomoda como un polizón en el fondo de una alacena de cocina al caer la noche. Los vestidos a medio hacer los cuelga en bolsas de plástico en un ropero del pasillo. También en el pasillo tiene un arca de dibujo sencillo en la que guarda paños, sedas y algodones, agujas y alfileres.

Otra gran fuente potencial de espacio, si lo tiene, es el garaje, en cuyo interior es usual tener almacenadas herramientas de jardinería y otros aparejos. Vicky lleva un próspero negocio doméstico, relacionado con ropa infantil de segunda mano. Y cada fin de semana su garaje se convierte de modo provisional en una tienda. Se compró unos colgadores de ropa con ruedas, algo que suele hallarse de oferta en los pequeños anuncios de la prensa gratuita. Se desmontan con facilidad y ocupan poco espacio, así que durante la semana los tiene guardados en una alacena bajo la escalera. Cuando llega el fin de semana los vuelve a montar y los lleva rodando hasta el garage para exhibir la ropa.

Existen otros espacios que pueden ser utilizados como zona de trabajo, aparte de la tradicional habitación sobrante. Un cobertizo de jardín en desuso se puede convertir fácilmente en taller. Quizá tenga que aislar el techo de los calores y fríos excesivos, pero eso lo puede hacer fácilmente fijando planchas de fibra de vidrio. Puede llevar hasta él la corriente de un modo sencillo, comprando una bobina a prueba de humedad, disponible en cualquier tienda del ramo. Para cualquier trabajo de tipo más complejo, consulte a un electricista profesional. También el ático, con la ayuda de una escalera de caracol, se convierte en otro potencial espacio para trabajar, sobre todo si lo hace a plena luz del día.

LA ROPA QUE DEBE LLEVAR

La concepción del vestuario cambia por completo si decide trabajar en casa. A no ser que reciba clientes en su casa, si trabaja como abogado, contable o en cualquier otra profesión, puede usted relajarse.

No caiga, sin embargo, en el error de ponerse ropa vieja: pantalones desastrados que deberían haber ido a la tintorería hace mucho tiempo o jerseys descoloridos. Si lo hace, descubrirá que eso ejerce un efecto psicológico sobre usted y, con el tiempo, sobre su trabajo.

Si lleva ropa informal y cómoda, procure que sea atractiva. Mary, que trabaja todo el día con su ordenador, dice: «Puesto que paso la mayor parte del tiempo sentada, no me pongo nada ceñido ni tejidos rígidos. He descubierto que lo ideal son los chándales, sueltos y cálidos. Tengo tres, en colores brillantes, que me hacen sentirme a gusto cuando me los pongo. En un momento dado puedo tener uno lavándose, otro tendido y otro puesto. Y al caer la tarde, cuando la familia está en casa, me pongo cualquier otra cosa».

La ropa especialmente diseñada para trabajar le hará sentirse más profesional: un chaleco de gamuza si es usted jardinero, un guardapolvo si es artesano manual, una bata con bolsillos para alfileres si se dedica a la costura… Esta ropa le hará sentirse como si «fuera a trabajar» cuando se la pone.

CAPÍTULO 2

Haga que su casa trabaje para usted

Tomar huéspedes, alquilar habitaciones con sala o incluso dividir el edificio en apartamentos son otras tantas maneras de hacer que su casa trabaje para usted en caso de que tenga habitaciones de sobra. Utilizar su casa como fuente de ingresos tiene la gran ventaja de que se trata de una ocupación pasiva, más que de un trabajo a tiempo completo. Si tiene inquilinos o huéspedes, puede compartir con ellos su vida normal. Pero es mejor si puede convertir una parte del edificio en vivienda independiente, ya que de esta manera sus huéspedes apenas se inmiscuirán en su vida privada.

Sin embargo, antes de embarcarse en una empresa similar, compruebe que no está infringiendo ninguna cláusula de su hipoteca o, si es arrendatario, que el propietario no pone ninguna objeción. Y si transforma una parte del edificio es casi seguro que necesitará una licencia municipal, que actualmente se consigue sin dificultades.

Si encuentra una mansión enorme y posee los contactos adecuados, quizá valga la pena considerar la idea de solicitar una licencia para convertirla, por ejemplo, en una escuela de idiomas o en un centro de medicina alternativa. Cynthia, una viuda que posee una casa algo estrambótica en el sudeste de Londres, pensó en alquilar dos habitaciones para un centro de medicina alternativa cuando su osteópata le contó que había vencido el alquiler del local en el que trabajaba y estaba buscando un nuevo sitio. Al cabo de poco tiempo, tuvo que cederle más espacio ante el desmesurado crecimiento del negocio. Obtuvo una licencia municipal y transformó el último piso de la casa en su vivienda. «Esto ha cambiado mi vida —afima—. Ahora, por lo menos, tengo unos ingresos razonables y cierta seguridad».

¿QUIERE ALQUILAR SU CASA?

¿Qué opinión le merece tener extraños en casa? Si no ha pasado nunca por la experiencia de tener huéspedes de pago o alquilar habitaciones, es una buena idea empezar albergando gente por períodos breves, para ver cómo le va.

Si tiene familia o pareja, es obvio que necesita su apoyo antes de contemplar la idea de albergar a otras personas. Al sentirse agraviados, unos adolescentes ariscos podrían arruinar rápidamente sus planes de albergar turistas, por ejemplo.

Quizá tenga que llegar a un acuerdo con ellos. Si tiene, por ejemplo, un bebé o un niño pequeño, probablemente deberá limitarse a alquilar habitaciones sin ofrecer ningún otro servicio. A menos que tenga usted tanta suerte como Anne y Jeremy, que tuvieron unas huéspedes que les hacían de canguro.

Incluso en el caso de que viva solo, es posible que el asunto no funcione del todo bien. Margery, funcionaria pública retirada, vivía sola. Entonces decidió alquilar unas habitaciones, en parte por el dinero y en parte para tener compañía. Pero cuando tuvo instalados a los nuevos inquilinos, su reacción no fue precisamente la que se esperaba.

«Me sorprendió descubrir lo mucho que acusaba la invasión de mi vida privada —dice—. Cada vez que salía de la sala de estar me parecía que me cruzaba con alguien en el pasillo. Me sentía atrapada, enclaustrada. Nunca me había dado cuenta de que solía andar por casa en bata o sin peinar. Ahora debo ir arreglada. Y odio encontrarme sus cosas en el baño: navajas de afeitar, champús y todo eso. Intento convencerme diciéndome: "Estás ganando un buen dinero con esto", pero eso no me consuela.» Al final decidió abandonar su negocio y se buscó un trabajo a tiempo parcial para complementar su pensión.

¿DÓNDE VIVE?

El tipo de huésped o inquilino y cuánto le puede cobrar depende de la zona en que viva. Así que lo primero que tiene que hacer es evaluar la situación actual de su casa, pues planearía en vano tener inquilinos si la zona en que vive no resulta atractiva para estos. Pero aunque ésta sea su situación, no lo dé todo por perdido; quizá haya otras formas de atraer clientela.

¿Vive en una ciudad o cerca de ella?

Cuanto más grande es la ciudad, más demanda existe de alojamiento, y si vive usted en una o cerca de ella no tiene por qué tener dificultades para alquilar habitaciones durante todo el año. Existe un gran flujo de grupos de personas que mana de fuentes empresariales, profesionales y académicas. Debe estar preparado para captar y elegir el tipo de inquilinos que desea tener en casa.

¿Es una ciudad universitaria?

Si es así, dispone de un flujo regular de estudiantes, muchos de los cuales están buscando desesperadamente un sitio donde instalarse, pues no todos los colegios y universidades disponen de suficientes alojamientos propios. Y, en cualquier caso, después del primer curso los estudiantes prefieren la libertad de vivir fuera.

El momento clave para captar huéspedes universitarios es, por lo general, a finales del verano. Es entonces cuando estos saben si han sido admitidos o no y se disponen a buscar alojamiento. La mejor manera de conseguir estudiantes es poniéndose en contacto con las facultades y clavando anuncios en los tablones de la universidad. En la mayoría de los complejos académicos existen sindicatos estudiantiles, que son organizaciones idóneas para localizar posibles huéspedes. Es muy probable que la universidad le envíe a alguien para comprobar las condiciones de la vivienda antes de incluirla en las listas de contactos. Ésta sería una buena opotunidad para preguntar cosas que le interesan. Para tener una idea de lo que ha de cobrar, indague a su alrededor y fíjese en los anuncios de alquiler de habitaciones.

Si sus inquilinos son estudiantes, probablemente sólo se alojarán en su casa durante el curso. Esto no es un problema, ya que podrá alquilar las habitaciones a personas que asistan a cursos de verano, congresos, etc.

¿Existe un polígono industrial en su barrio?

Si es así, no tendrá dificultades para ofrecer alojamientos, pues ahí suele existir una masa laboral a la que recurrir. Hoy día muchas empresas llevan a cabo cursos para su personal en sus oficinas centrales. Y si tiene la suerte de que esas oficinas estén cerca de su casa, póngase en contacto con ellas; quizá les dé una alegría al hacerles saber que dispone de habitaciones libres. La persona con la que tiene que contactar en primera instancia suele ser el jefe de personal. Esos cursos de formación pueden durar desde un fin de semana largo hasta todo un mes. Y este tipo de alquileres por un período corto a menudo producen más beneficios que un alquiler permanente, puesto que son los empresarios quienes pagan.

¿Tiene su barrio atractivos turísticos?

Los turistas extranjeros son cada vez más aventureros y han empezado a hacer largos viajes y visitar otros países, uno de los cuales puede ser el suyo.

La mejor forma de introducirse en el canal turístico es darse a conocer en su oficinal local de turismo, donde sin duda tendrán mucho gusto en contar con usted y anotar su nombre en sus agendas. Tenga en cuenta, no obstante, que si desea colocar en su casa algún cartel ofertando algo —cama y desayuno, por ejemplo—, tendrá que hacerlo cumpliendo la normativa local al respecto. Anunciándose de este modo está diciendo que está dispuesto a recibir viajeros que llamen a su puerta a cualquier hora del día, así que prepárese. Será necesario que haya alguien en casa durante todo el día por si acuden a usted de modo inesperado en busca de alojamiento.

¿QUÉ ESTÁ DISPUESTO A OFRECER?

Antes de nada, defina el tipo de alojamiento que puede ofrecer. ¿Cuántas habitaciones tiene disponibles? ¿Quiere alquilarlas todas? Si es así, ¿qué va a hacer si unos amigos desean quedarse? ¿Tienen todas las habitaciones acceso a un labavo propio? Si no es así, y si está pensando en alquilarlas de modo permanente, ¿es posible instalar uno? Antes podía resultar un problema el suministro de agua caliente, pero hoy en día puede comprar un calentador eléctrico que proporciona agua caliente de modo instantáneo y es fácil de instalar.

Cuartos de baño

Piense también en el asunto de los cuartos de baño. Con un solo baño en la casa, que ha de ser compartido con la familia, no puede alojar a más de dos huéspedes con cierta comodidad, aunque estén fuera de casa todo el día. ¿Y hasta qué punto están dispuestos los miembros de su familia a dejar el baño libre para que lo use un inquilino? Si vive solo, no tendrá tantos problemas. No obstante, si lo que quiere es montar un negocio serio y tiene una casa con varias habitaciones disponibles, ¿no sería mejor convertir una de ellas en un cuarto de baño complementario? Esta transformación merece la pena porque incrementa el valor de la propiedad si un día decide venderla.

Salas-dormitorio

Alquilar salas-dormitorio presenta una gran ventaja: sus huéspedes tendrán más independencia. No tendrán que compartir su sala de estar por las noches y convertirse en uno más de la familia. Así, si las habitaciones que tiene disponibles son suficientemente espaciosas, merece la pena convertirlas en salas-dormitorio, aunque el cambio suponga un gran esfuerzo económico. A la larga, lo agradecerá.

Cada estancia ha de ser lo bastante grande para acomodar en ella una cama (que puede muy bien ser un sofá-cama), un armario, una mesa y dos sillas. A menos que esté dispuesto a compartir su cocina, ha de disponer también algún tipo de instalación para cocinar y una pequeña nevera. Incluso en el caso de tener que compartir la cocina, es una buena idea que los huéspedes tengan una pequeña nevera en su habitación para así no mezclar los alimentos.

Compartir la cocina principal con varios inquilinos es perfectamente posible. Pero es mucho mejor que cada uno pueda cocinar en su propia habitación. Las instalaciones más sencillas para este propósito consisten en un hornillo eléctrico y un horno microondas (con los últimos modelos se puede cocinar de manera tradicional). Asegúrese de recubrir la pared donde instale la cocina, ya sea con azulejos o con algo que se pueda limpiar fácilmente, y si la habitación está enmoquetada invierta en una alfombra plástica (de venta en tiendas de alfombras) para cubrir con ella la zona de cocina. La sala ha de tener también un pequeño televisor y un aparato de radio, y una iluminación razonable. Unas cuantas lámparas bajas proporcionan más luz que la deprimente bombilla de 25 watios colgada en medio del techo, el tipo de iluminación que tuve que soportar cuando vivía de alquiler.

Incluso en el caso de que tenga muebles baratos o de segunda mano, haga lo que pueda para conseguir que sus salas-dormitorio sean lo más atractivas posible. Cuesta muy poco poner relucientes colchas nuevas, pantallas y tapetes, por ejemplo, e incluir una papelera o una lámpara sobre la mesita de noche. Mary, que decidió convertir su vivienda en una casa de huéspedes, tuvo la ocurrencia de dormir una noche en cada una de sus habitaciones antes de empezar a alquilarlas. Ésta es la mejor forma, y la más fácil, de descubrir si son confortables o no. Sus huéspedes responderán manteniendo la habitación en mejores condiciones que si la hubieran encontrado sórdida y maltrecha.

Reformas

Si piensa alquilar varias habitaciones, considere la posibilidad de transformar una parte del pasillo en una minicocina. Muchas casas antiguas disponen de insólitos rellanos, corredores espaciosos o rincones en los que quizá sea posible emplazar una instalación de este tipo. Se pueden adquirir minicocinas completas: un pequeño fregadero, un escurreplatos y dos hornillos eléctricos con un refrigerador debajo, todo ello alojado en lo que parece sólo un fregadero. Por una cantidad extra se puede encontrar también un pequeño lavavajillas, que se colocará bajo el fregadero. Una instalación como ésta, con un horno empotrado en la pared, le proporcionará todas las comodidades en un espacio de un metro de ancho. Asimismo, si va a instalar un hornillo eléctrico o un horno convencional tendrá que colocar una campana extractora encima, o pronto la grasa y los olores de comida invadirán toda la casa.

Si piensa llevar a cabo cualquier reforma, recuerde que es posible que tenga que pedir una licencia de obras, así que compruébelo antes de empezar. Si no tiene aptitudes para el bricolaje y necesita acudir a un experto, pida más de un presupuesto. Le sorprenderá descubrir que hay grandes diferencias de precios y es posible que pueda ahorrarse algún dinero. Pida también fotografías de trabajos realizados con anterioridad por el arquitecto o el constructor. Por lo general, los profesionales están acostumbrados a este tipo de peticiones y se avienen a satisfacerlas; si no las tienen, piénseselo dos veces.

Tenga en cuenta también que una casa dividida en apartamentos pierde valor en el mercado inmobiliario, a no ser que piense vender los pisos individualmente.

Huéspedes

Si va a tomar huéspedes y las habitaciones ya están adecuadamente amuebladas (hay una cama, una silla, algo que sirva de escritorio y un sitio para guardar la ropa), lo único que necesita es ropa de cama suplementaria. Ahorre tiempo y problemas comprando sábanas, edredones y fundas de almohada hechos con mezcla de algodón y poliéster al 50 por ciento. Es, con mucho, la mejor elección, puesto que se secan rápidamente y no necesitan plancha. Y esto es esencial si va a ofrecer un servicio rápido de cama y desayuno, por ejemplo.

Equiparse

No escatime detalles como almohadas y colchones. Es mejor comprarlos nuevos si los que ya tiene están manchados. Usted sabe que la mancha es de café, pero los huéspedes pueden no alquilar la habitación sólo por ese motivo.

Consiga ropa de cama y toallas baratas y suaves, y cámbielas con frecuencia. Los mejores sitios para encontrar estas cosas son los grandes almacenes o los centros de venta por catálogo. Estos lugares también son ideales para comprar complementos como lámparas o mesitas de noche.

Si va a convertir su vivienda en casa de huéspedes o en apartamentos, tendrá que comprar cocinas y neveras. En esto, está claro que vale la pena salir a la caza de equipamiento de segunda mano, mucho más barato que el nuevo. Por otra parte, la cristalería, la cubertería y la vajilla se venden a precios sorprendentemente baratos en las grandes superficies. Elija modelos que sepa que no se van a agotar para que le sea fácil reponerlos.

Si tiene poco espacio, busque muebles plegables, apilables o por módulos. Existe un tipo de mesas especiales que suelen venir anunciadas en los catálogos de venta por correo y que se ven también en muchas tiendas. La mesa, cuando está plegada forma un mueble adosado de sólo palmo y medio de ancho. Con ella se venden cuatro sillas plegables que caben debajo de la mesa... Ideal para un apartamento pequeño o una sala-dormitorio.

Para conseguir que su alojamiento tenga un aspecto más familiar necesitará algunos adornos, como alfombras y tapetes. El sitio ideal para encontrar estas cosas son los mercadillos o las tiendas de segunda mano. Si sabe escoger entre la morralla, se sorprenderá de lo rápidamente que se puede montar una habitación armónica y cómoda.

¿QUÉ TIPO DE CLIENTES PUEDE ESPERAR?

Una vez evaluada la ubicación de la vivienda y el tipo de alojamiento que puede ofrecer, ¿qué puede esperar de sus potenciales clientes?

Los apartamentos y las salas-dormitorio

Siempre que su contrato se lo permita, alquilar parte de la casa como apartamento es la forma menos problemática de tener gente bajo su techo. Si esto no es posible, unas salas-dormitorio adecuadamente equipadas le brindarán igualmente la oportunidad de tener inquilinos sin problemas. Para hacer esto necesita, por supuesto, tener una casa grande. Asimismo, tendrá que invertir algún capital inicial para equipar los alojamientos. Pero en cuestión de meses recuperará rápidamente su inversión.

Inquilinos o huéspedes de pago

Hay gente de muchas clases deseosa de alquilar habitaciones con derecho a cocina para preparar sus propias comidas. Generalmente son hombres o mujeres de negocios que se encuentran de pronto trabajando lejos de casa. En este caso, lo normal es que salgan de casa a primera hora de la mañana, regresen a última hora de la tarde y quizá salgan de nuevo, y que pasen fuera los fines de semana. Este huésped es, probablemente, el menos problemático y paga puntualmente el alquiler. Pero si lo que quiere es alguien con quien charlar de vez en cuando, quizá no sea ésta la persona más adecuada.

Los trabajadores solteros con horario fijo y jornada intensiva serían los siguientes en la escala de los menos problemáticos. Suelen quedarse los fines de semana, pero les gusta llevar una conspicua vida social, por lo que no pasarán mucho tiempo bajo su tutela. Tanto los de esta clase como los de la anterior se inmiscuirán muy poco en su vida privada. Asimismo, es probable que ambos necesiten un lugar para guardar el coche.

La tercera categoría la forman las personas que no tienen un horario regular. Los estudiantes, por ejemplo, que quizá pasen parte del día estudiando en casa, y los profesionales que tienen unos horarios totalmente variables: actores, periodistas, trabajadores sociales, médicos y enfermeras, principalmente. Su presencia en casa puede pasar menos inadvertida que la de los trabajadores que tienen un horario regular. Renee, una ex enfermera, se dedica a hospedar a trabajadores del hospital local: «Me gusta alojar a estudiantes o médicos jóvenes —afirma—. Me mantienen en contacto con el mundo médico y podemos hablar el mismo lenguaje. También puedo comprender lo largas y extrañas que son sus jornadas de trabajo, algo que no entenderían algunas amas de casa corrientes».

Muchos de los huéspedes de Renee realizan el turno de noche. Estos tienen un trato especial: «Si sé que van a regresar realmente tarde, les dejo una sopa a punto de calentar y bocadillos —dice Renee, que no ha estado nunca casada y considera a los estudiantes como "su familia"—. Comparto con ellos la angustia ante los resultados de los exámenes, y si alguno fracasa, me siento tan mal como si me hubiera ocurrido a mí».

Alojamiento y desayuno

El hospedaje con desayuno incluido, tanto si es por un período largo como si es por uno breve, resultará más rentable que tener sólo huéspedes o auténticos inquilinos, a condición de que tenga clientes de manera continua. Y como tiene que preparar cada día el desayuno para su familia, comporta muy poco trabajo adicional.

Si ofrece alojamiento y desayuno, deberá disponer de un baño aparte para los huéspedes o, por lo menos, un lavabo en sus habitaciones, de modo que por las mañanas no coincidan con el resto de los habitantes de la casa. Y necesitará un buen surtido de ropa de cama; como ya he dicho, la mejor es una mezcla de algodón y poliéster, que se lava fácilmente y no necesita plancharse. El hospedaje con desayuno se limita sólo a eso, y no tiene por qué proporcionar una sala aparte con televisión. No obstante, si desea tener huéspedes por un período largo, es probable que necesite instalar un pequeño televisor en las habitaciones.

ALOJAR TURISTAS

Si le interesa tener turistas extranjeros y la vivienda está en una zona adecuada, recuerde que las autoridades turísticas locales o regionales llevan un registro en el que puede ser incluido en una determinada clasificación de alojamientos. Le preguntarán qué características tiene su casa y qué tipo de servicios está dispuesto a ofrecer. También es probable que le envíen un inspector para que verifique las habitaciones, antes de incluirle en las listas. Después, puede pedir una clasificación oficial. A partir de entonces tomará parte en las numerosas promociones que se lleven a cabo, e incluso es posible que su casa aparezca en sus folletos.

También podría darse a conocer en el ayuntamiento, así como en aquellos lugares que acostumbran a visitar los turistas: estaciones de servicio, cafeterías y restaurantes, por ejemplo. Póngase en contacto con ellos y hágales saber que alquila habitaciones y que ofrece alojamiento y desayuno. Les agradará saberlo, puesto que así podrán enviarle a los turistas. Asimismo, si es un entusiasta de la cocina, considere la posibilidad de ofrecer a sus huéspedes una cena a base de especialidades locales o recetas tradicionales; también en esto puede prestarle ayuda la oficina local de turismo.

Servicios adicionales

Dígales a sus visitantes, en el momento de su llegada, qué servicios puede ofrecerles. Quizá pueda ofrecerles café a primera hora de la mañana; una manera fácil de hacerlo es proporcionándoles una cafetera eléctrica, café, azúcar y leche en polvo, para que se lo hagan ellos mismos. Si está en condiciones de ofrecerles otros servicios adicionales, como el de lavandería, dígaselo. Muchos turistas viajan en coche y tienen dificultades para lavar la ropa. Ofrezca siempre algún servicio adicional. Reúna folletos sobre lugares que visitar, excursiones locales, y téngalos a la vista. También puede encaminarlos hacia las mejores tiendas de recuerdos, y quizá perciba una pequeña comisión de las mismas si hacen en ellas sus compras. Y es posible que usted o alguno de sus amigos hagan objetos de artesanía o pinten paisajes de la región. Si es así, despliéguelos discretamente por la casa; quizá consiga hacer algunas ventas.

A las personas procedentes de países «nuevos», como Estados Unidos o Australia, les fascina nuestra historia, especialmente porque es mucho más larga que la suya. Y si es capaz de transmitirles su entusiasmo por su localidad, es posible que sus vacaciones sean mucho más agradables. Y con toda seguridad le darán su dirección a sus amigos.

Casas históricas

Si tiene la suerte de poseer una casa de interés histórico, tiene una mina de oro en potencia. En tal caso, lo ideal es decorar las habitaciones de huéspedes al estilo de la época. Investigue la historia de la casa y téngala a mano para dársela a conocer; incluso puede ser mejor disponer de un folleto impreso para distribuirlo en las tiendas de recuerdos, centros de información turística y cafeterías.

Denis, que vive en una casa georgiana restaurada, en Londres, ha descubierto un procedimiento inédito de hacerla rentable. La ha restaurado dándole el aspecto que tenía en el siglo XVIII. Ha ocultado toda evidencia de inventos modernos como la electricidad, y ha instalado un aparato en los sótanos que reproduce el sonido de cascos de caballos o la vocería de los vendedores ambulantes, que la hacen más real. Su casa no está llena de inapreciables antigüedades, aunque la mayoría de los muebles han sido fabricados especialmente para él al estilo georgiano, para que encajen en el ambiente.

Denis no tiene huéspedes, sino que organiza visitas nocturnas a la luz de las velas. Ofrece a sus visitantes una lección de historia sobre la marcha, contándoles cómo era la vida de una familia en aquellos tiempos. Es un lugar predilecto en los circuitos turísticos para norteamericanos, lo que le ha granjeado gran cantidad de publicidad en televisión, así como en periódicos y revistas.

Si su casa tiene valor histórico, sea de la época que sea, y está preparado para soportar los inconvenientes de vivir en lo que es prácticamente un museo, podría ganar un buen dinero usándola del modo que lo hace Denis. Mostrarles una casa de verdad, más que una mansión imponente en la que todo está detrás de cristales o cercado con cuerdas, puede ser una experiencia realmente atractiva para los visitantes. En su oficina local de turismo pueden aconsejarle sobre la duración de las visitas y las tarifas que puede aplicar. Si además pudiera ofrecer una cena «de época», tendría un negocio absolutamente lucrativo.

Visitantes ocasionales

Aceptar huéspedes ocasionales significa tener que improvisar comidas, de modo que lo más prudente es tener platos cocinados y congelados para calentarlos en el último minuto en el microondas. También necesitará comprar ropa de cama y toallas.

Fije sus precios según las tarifas del momento; entérese de éstas en su Oficina de Turismo. Tendrá que decidir desde un principio si va a cobrar por persona o por habitación, y si va a cobrar una cantidad extra cuando una sola persona ocupe una habitación doble.

Turistas estudiantes

Otra fuente de ingresos de tipo turístico puede ser alojar a estudiantes extranjeros. En el capítulo 7 encontrará más información sobre este tema.

VIVIR CON SUS INQUILINOS

Si está acostumbrado a vivir solo o en pareja, pero de forma tranquila y bien regulada, compartir su hogar con otras personas puede ser un negocio agotador. Si, por el contrario, son ustedes una familia de trato fácil, acostumbrada a recibir muchas visitas de amigos, entonces es casi seguro que serán capaces de asimilar sin contratiempos la presencia de otras personas. En cualquier caso, tener a gente en casa quizá le hará descubrir que ha de ser de ideas más flexibles. «Empiece cuando tenga la intención de seguir» suele ser el consejo estandarizado para los recién casados, el mismo que se puede aplicar al negocio de tener huéspedes en casa.

Por supuesto, el hecho de tener a alguien en casa puede ser, más que una molestia, una experiencia gratificante: yo tuve un joven inquilino maravilloso, llamado Henry, que vivió conmigo ocho años, y hasta se mudó de casa conmigo. Ahora se ha convertido en un amigo del alma. Otros no han tenido tanta suerte: una prima mía, Penny, que estaba al borde de la bancarrota, tomó como huésped a una joven parisina consentida, porque necesitaba el dinero. Y se encontró con que cada mañana le consultaba sobre qué vestido de alta costura francesa debía ponerse, mientras que a Penny no le llegaba ni para un par de medias...

Fumar

Un detalle fundamental que tiene que decidir lo más pronto posible es si está preparado o no para admitir fumadores en su casa. Si los cigarrillos aparecen en su lista de la compra semanal, no hay de qué preocuparse; pero si no fuma, es posible que se encuentre con que no le gusta compartir su casa con gente que lo hace. Esto es lo que le ocurrió a Bill.

«Yo había dejado de fumar hacía diez años. Fue duro, pero al fin lo había conseguido. Entonces, el invierno pasado hospedé a un amigo al que su mujer había abandonado. Me había olvidado de que él era fumador; no te das cuenta cuando sólo los ves en el bar o en el fútbol. De todos modos, descubrí que no podía seguir aguantándolo en casa debido a sus cigarrillos. Más que producirme nuevos deseos de fumar, el humo me atosigaba. Finalmente tuve que darle un ultimátum: o se iba a fumar afuera o se marchaba de casa.»

Estudiantes a la vista

Albergar estudiantes puede ser una experiencia al mismo tiempo estimulante y agotadora. Al tenerlos en casa, se convierte en su padre, en su consejero y, a veces, en su sargento. Esté preparado para ofrecerles un hombro en el que llorar cuando tengan problemas en su vida amorosa o en sus estudios. También tendrá que actuar con tacto para no preguntarles por sus problemas si ellos no dan muestras de querer explicárselos.

Amigos

Si alberga a un grupo de estudiantes en su casa, es esencial establecer unas reglas simpáticas pero firmes, y atenerse a ellas. Debe decidir, por ejemplo, si les permite traer a sus novios o novias a sus habitaciones. Desde el punto de vista legal, no puede usted prohibirles que reciban visitas, pero éstas no deben convertirse en estancias nocturnas porque puede llegar un momento en el que se pregunte si ha alquilado una habitación individual o una doble. Sin duda, ellos han de tener llaves de la puerta principal, pero es posible que vea necesario imponer algún tipo de toque de queda dentro de unos límites razonables. Al fin y al cabo, si la suya es una casa pequeña, el escándalo de un juerguista borracho a las tres de la madrugada puede llegar a ser inaguantable. Sin embargo, los estudiantes no son los únicos culpables de armar jaleo: Joan aceptó hospedar a un equipo de rugby que debía jugar varios partidos en la comarca… ¡y lo lamentó!

Música

También es posible que tenga que establecer determinadas reglas sobre el volumen de la música. No es un problema relacionado con la música actual. Alan, que alquiló un apartamento que había adecuado en el sótano de su casa de Manchester a unos adictos a la música pop, descubrió que no era la música en sí misma lo que le molestaba, sino el retumbar de la batería, que le llegaba a través de las paredes y le producía dolores de cabeza. Actualmente, en la era de los estéreos personales, *walkmans* y auriculares, no hay excusa para los que escuchan músicas estridentes que pueden molestar a los demás a según qué horas.

Teléfono

Uno de los principales quebraderos de cabeza de tener inquilinos es la cuestión del teléfono. Puede pedirles que anoten sus llamadas, pero aun con las mejores intenciones del mundo, puede estar seguro de que le colarán algunas.

El teléfono es una de las principales fuentes potenciales de disputa cuando tiene gente en casa. Puede que le digan que han estado tres minutos hablando con Sevilla, o peor aún, con Nueva York. Pero se sentirá ofendido si sospecha que no le han dicho la verdad. Eso sí, no podrá llamarles mentirosos. Aunque, sin duda, una factura telefónica detallada puede muy bien confirmarle que estaba en lo cierto.

La compañía telefónica puede acudir en su ayuda. Puede, por supuesto, bloquear las llamadas al exterior a través de varios métodos. Si tiene huéspedes regularmente, vale la pena invertir en un teléfono público. Los últimos modelos son muy compactos; uno de ellos le saldrá a cuenta con lo que se ahorre en la factura telefónica. No olvide tener a mano cambio para que sus huéspedes puedan llamar. Si alquila apartamentos, es de sentido común asegurarse de que cada inquilino dispone de su propio teléfono. Si los está alquilando por períodos cortos, puede seguir detentando la propiedad de las líneas y cargarles las llamadas realizadas durante su estancia. Póngase en contacto con la compañía telefónica para que le ayude a resolver estos problemas.

El alquiler

Tendrá que decidir si va a cobrar el alquiler cada semana o cada mes (lo mejor es ajustarlo a los períodos correspondientes al cobro del salario de sus inquilinos). Debe actuar como empresario y llevar un libro de registro. El alquiler lo debe cobrar por adelantado, para evitar que sus inquilinos se vayan «a la chita callando». Si alquila alojamientos amueblados, o sea, habitaciones con sala de estar o apartamentos, tiene que pedirles un depósito reembolsable para cubrir eventuales desperfectos. No está de más contratar una póliza de seguro complementaria por lo que se llama «responsabilidad civil», para asegurarse de que está cubierto en el caso de que un inquilino se caiga por las escaleras y se rompa una pierna, o se incendie parte de la propiedad, quede inundada, etc. Dígale a su agente de seguros que tiene huéspedes y déjese aconsejar por él.

Referencias

En cualquier caso, pida referencias, pero no les dé demasiada importancia a menos que procedan de una fuente como el banco del inquilino, pues es mul fácil falsificarlas. Lo mejor es que decida por su propia cuenta si la persona que desea la habitación es alguien con quien podrá compartir su casa. Todos cometemos errores, pero ya que vive en su propia casa como propietario u ocupante, no debería tener ningún problema para deshacerse de un inquilino dándole una «explicación razonable» para que se vaya si las cosas van mal.

CAPÍTULO 3

Cocinar en casa

Este capítulo sólo le interesará si de verdad le gusta la cocina y se siente frustrado por no haber tenido suficientes oportunidades para demostrar su talento culinario. Si usted es realmente un buen cocinero, le resultará muy satisfactorio vender sus servicios de algún modo, y ganar algún dinero. Puede serle de gran ayuda una biblioteca de libros de cocina, y probablemente ya tiene el equipamiento básico necesario. Además, es algo en lo que puede iniciarse a solas, y conseguir ayudantes cuando los necesite... para ocasiones especiales, por ejemplo.

Es posible que decida preparar platos precocinados y vendérselos a otro proveedor, a un puesto del mercado o a una tienda. O quizá prefiera ofrecer un servicio más personal cocinando para las fiestas que dan otros o para eventos sociales. Eso depende de su talento particular y de su personalidad. Y es posible cocinar para ganarse la vida, a pesar de las historias terribles que haya oído contar sobre la nueva legislación en materia de higiene. Así que vamos a eliminar las cuestiones burocráticas.

NORMAS PARA ANTES DE EMPEZAR

La legislación en materia de higiene relativa a la alimentación es suficientemente sencilla para que cualquiera pueda entenderla y atenerse a ella. En realidad, no se refiere sino a la simple precaución y al sentido común. Si lleva un negocio de alimentación, tiene la responsabilidad personal de tratar con cuidado el producto con el que trabaja y que vende. Y tiene que cumplir básicamente con las leyes establecidas.

La cocina

La cocina, además de cumplir las «condiciones higiénicas adecuadas», deberá ser fácil de limpiar, bien ventilada y convenientemente iluminada. Esto significa que su cocina debe tener superficies de trabajo que se puedan limpiar fácilmente, como las de acero inoxidable, baldosas de cerámica o superficies laminadas. A los inspectores sanitarios no les gusta la madera por la sencilla razón de que sus fibras pueden albergar todo tipo de microbios, así que tendrá que deshacerse de las decorativas tablas de cortar y conseguir algo liso y laminado.

Asimismo, tiene que haber un «espacio adecuado para almacenar temporalmente las basuras». No debe haber un retrete que dé directamente a la cocina y tiene que haber un lavabo de manos adecuado (no en la cocina) con agua corriente fría y caliente y jabón. Debe mantener tan limpias como sea posible todas aquellas partes de su persona y de su vestimenta que vayan a entrar en contacto con los alimentos. Debe mantener a cubierto cualquier herida o erosión. Y debe evitar fumar.

Todas estas normas tienen sentido para cualquiera que se tome en serio la cocina. Ni que decir tiene que es vital, por supuesto, tener una cocina del tamaño adecuado y correctamente equipada si va a cocinar en grandes cantidades, a menos que quiera sentirse como un galeote. Para hacer feliz al inspector, su cocina debe tener la ventilación adecuada, probablemente una campana extractora sobre los hornillos. También debería tener un fregadero doble.

Los permisos oficiales

Sólo hay una cosa más que debe usted hacer antes de empezar: obtener el título de manipulador de alimentos. Vale la pena visitar a la autoridad local en la materia (antes de que se presente de improviso) y comunicarle sus planes. Por lo general, esas personas se muestran muy serviciales. Si tiene que realizar reformas en la cocina, piense en el flujo de trabajo previsto y asegúrese de que todo está colocado de modo que pueda moverse de una pieza del equipamiento a otra sin necesidad de zigzaguear por la habitación. Puede ser muy duro para los pies tener que trabajar en una cocina deficientemente planificada. Además, si necesita un ayudante para una eventual sesión frenética de cocina, evitará así las constantes colisiones.

Los alimentos

En esencia, las normas establecen que se tienen que mantener separados los alimentos crudos y los cocinados. Esto quizá le obligue a adquirir una segunda nevera. Debe utilizar material de embalaje limpio: use contenedores plásticos y metálicos desechables y rollos de papel de aluminio o de plástico.

Por lo que se refiere a los alimentos en sí mismos, recuerde que los gérmenes dejan de ser activos a temperaturas muy altas o muy bajas, de modo que, por necesidades sanitarias, tendrá que enfriar sus productos tan rápidamente como pueda después de cocinarlos, para evitar su posible contaminación. Para no tener que preocuparse por esto, el frigorífico debería tener un termómetro, a fin de asegurarse de que los alimentos se mantienen a la temperatura prescrita, por debajo de los cinco grados.

Los alimentos tampoco se pueden almacenar en una habitación que contenga alimentos para animales (están prohibidos, por supuesto, los animales domésticos). Y no deben estar a una altura inferior a 45 centímetros del suelo, a menos que esté «adecuadamente protegida».

Recuerde que necesitará un lugar seco para guardar productos básicos como el azúcar o la harina, que tendrá que comprar al por mayor. Y tendrá que vigilar las fechas límite de consumo de todos los productos. Ni que decir tiene que todo lo que congele y empaquete ha de estar meticulosamente etiquetado y fechado. No hay nada que le ponga a uno más furioso que trastear en un montón de idénticos paquetes grises tratando de averiguar cuál es el de puré de frambuesas y cuál el de sopa.

Utilizar el jardín

Si tiene un jardín, planifique desde ahora el cultivo de sus propias hierbas y aderezos —por ejemplo, cebolletas, perejil y menta— para poder cortarlas cuando las necesite. No sólo ahorrará tiempo y dinero, sino que, además, si están recién cortadas tardarán más en marchitarse.

COMPRUEBE PRIMERO EL EQUIPAMIENTO

Cuando empecé a llevar mi refugio de artistas en Provenza, me encontré de pronto con que tenía que cocinar cada día para al menos una docena de personas, en vez de para una o dos. Había tenido el sentido común de asegurarme de que tenía la vajilla, cubiertos y servilletas necesarios, pero la primera semana fue frenética: me la pasé escarbando en los armarios en busca de una cacerola u una bandeja de gran tamaño. No intente cocinar para muchas personas sin asegurarse de que tiene todo lo que necesita. No hay nada más angustioso que tener un enorme montón de pasta hirviendo y ningún recipiente donde servirla.

Puesto que ahora va a tener que presentar la comida al público, adquiera el hábito de buscar fuentes de tamaños poco usuales en mercadillos, chatarrerías y subastas. (Pero recuerde que las autoridades sanitarias locales desaprobarán cualquier recipiente que esté en mal estado.) Pronto se hará con una colección de objetos muy baratos; hoy día no hay mucha gente que desee conservar fuentes de gran tamaño y les hará un favor si les ayuda a desembarazarse de ellas. También vale la pena hacerse con cacharros y utensilios de cocina, que se pueden encontrar a precios de saldo en las subastas.

Quizá pertenezca a la escuela de cocineros que no necesitan más que un cuchillo dentado y una cuchara de madera, pero si quiere montar una empresa de *catering*, necesitará parrillas y bandejas de hornear, cacerolas, fuentes y coladores. Si tiene que comprarse un equipamiento nuevo, vale la pena adquirir el mejor, aunque para ello se vea obligado a pedir un préstamo bancario. El desembolso inicial más importante quizá sea en cacharros, a ser posible de acero inoxidable. Al ser más eficientes con el calor, resultan también más económicos con respecto al combustible y más duraderos.

No cometa el error, sin embargo, de adquirir enormes ollas y cacerolas de hierro fundido a menos que tenga usted la musculatura de un bracero. Quizá parezcan muy elegantes, pero una vez llenas de comida son difíciles de manipular.

Busque también el equipamiento en subastas o en liquidaciones, sobre todo cuando se cierre un restaurante. Si piensa cocinar en grandes cantidades, provéase de cosas como recipientes para el baño María y freidoras controladas por termostato; algunas de éstas son tan pequeñas que incluso caben encima de una mesa de cocina.

También necesitará una trituradora. Si no tiene ninguna, compre una de tamaño familiar (además de que cabe más comida, tiene un motor más potente). Hay muchas pequeñas cosas, por supuesto, que le permitirán acelerar el trabajo. Aparatos eléctricos como un exprimidor de limones, un molinillo de hierbas o un cuchillo de trinchar puede que no sean vitales, pero facilitan el trabajo de un cocinero atareado. Si va a preparar conservas o repostería, posiblemente descubrirá que no puede hacerlo sin un pesajarabes o una cazuela para cocer al baño María. Una unidad trituradora también le ayudará con el problema de los desperdicios.

No olvide que le será inevitable tener una lavadora de más para vérselas con paños de cocina, ropa de trabajo, guantes de horno, manteles y servilletas. Busque en los grandes almacenes esos trapos de damasco blanco pasados de moda. Es posible que los consiga a buen precio, pues son demasiado grandes para el uso doméstico ordinario.

Por último, tiene que distribuir los alimentos según la capacidad de su frigorífico. Antes de deshacerse del viejo frigorífico para comprar el más grande que pueda encontrar, recuerde lo siguiente: es ilegal cocinar alimentos, congelarlos y recalentarlos después para la venta. Pero puede congelar los componentes de, por ejemplo, un pastel, antes de cocinarlos, o sea, la carne picada y la pasta ya elaborada. Recuerde que ha de contratar un seguro por si su frigorífico se estropea o por si se produce un corte de electricidad; que se echen a perder los alimentos es un problema a nivel familiar, pero para un cocinero profesional podría ser un desastre.

LA CESTA DE LA COMPRA

El mejor lugar para comprar los alimentos es un supermercado mayorista. Es probable que tenga que sacarse un carnet para comprar en él. Sin embargo, el supermercado mayorista no es el único lugar al que acudir. Busque buenas ofertas en supermercados más pequeños y cargue su camioneta con productos que no caduquen rápidamente, como el azúcar y la sal.

Si vive cerca del campo, visite las granjas vecinas. Algunas de ellas no tienen los productos tan baratos como pretenden hacerle creer, pero si necesita productos frescos para preparar, por ejemplo, una gran cena, vale la pena comprarlos en estos lugares. Por lo general, también puede comprar carne al por mayor en el mercado. Los autoservicios también tienen productos a buen precio, sobre todo si piensa preparar conservas. Embauque a la familia para que le ayuden en la compra.

¿QUÉ VA A COCINAR?

El mundo de los cocineros parece estar dividido en dos grupos: los que prefieren hacer sopas y guisos, y los que prefieren hacer pasteles, dulces y galletas. También hay un sector de lunáticos, como yo, que se vuelven locos por elaborar conservas. La elección depende de la especialidad culinaria para la que esté mejor preparado. Antes de decidirse, le conviene reponderse a unas cuantas preguntas:

¿Quiero hacer lo mismo todos los días?
Quizá se encontrará con esto si cocina al por mayor para tiendas de alimentación y cafeterías, o si prepara bocadillos para oficinas. No pierda el tiempo con la idea de preparar comidas a granel y encargue a un amigo el envasado para no contravenir las normas.

¿De cuánto tiempo dispongo?
Esto determinará si prepara comidas para terceros en su casa y después las entrega o si prepara algo para ser consumido inmediatamente. El tiempo del que pueda disponer se puede ver limitado por responsabilidades como tener que llevar a los niños al colegio o tener que preparar la cena para la familia.

¿Quiénes son mis clientes potenciales?
Existen muchas posibilidades de montar un negocio de elaboración de comidas para fiestas si vive en una zona industrial; o pasteles para cumpleaños infantiles si vive en un área residencial. Observe a su alrededor, busque a quienes puedan necesitar sus servicios y averigüe cuáles son sus gustos.

¿Me gusta cocinar delante de otras personas?

Si es de esas personas que se molestan cuando entra alguien en su cocina mientras están trabajando, deseche la idea de dar clases de cocina o de preparar comidas que hayan de ser acabadas en casa del cliente. En vez de eso, piense en dedicarse a cocinar para tiendas especializadas en comidas preparadas o puestos del mercado.

¿Puedo resolver los problemas con calma?

Si va a montar un servicio de catering, existe siempre la posibilidad de que se vaya la luz cuando esté a medio cocinar, de que alguien tire toda una bandeja de canapés en una fiesta o que se presente con un asado de ternera a una cena especial y se encuentre con que uno de los invitados es vegetariano. En una situación como ésta, debe mantener la calma y la sonrisa, y no permitir jamás que cunda el pánico entre sus clientes.

Puede que nunca viva una experiencia límite como la que he vivido yo dentro del negocio de la restauración. Llevábamos un restaurante árabe en Weybridge —por entonces, yo era redactora de moda y belleza en *Good Housekeeping* durante el día y camarera por las noches. Mi marido me llamó al despacho: «¿Puedes venir pronto a casa esta tarde?». «¿Por qué?» «Porque el cocinero acaba de ser arrestado por la policía local y tendrás que cocinar tú.»

¿Estoy al día en cuanto a modas culinarias?

Si va a trabajar como cocinero privado y a preparar comidas para terceros, debería dejar de lado de vez en cuando los recetarios habituales y enterarse de lo que come la gente fuera de casa: comida mexicana, platos con curry, productos integrales o revueltos fritos. Descubra qué pide la gente en los restaurantes, lea las secciones de cocina (y las críticas de restaurantes) en la prensa para enterarse de las nuevas tendencias y apréndase las recetas para estar preparado.

¿Pienso trabajar todo el día en un ambiente cargado de humos o tener una casa que huela a pescado?

La elaboración de salazones y condimentos, aun a pequeña escala, le da a la atmósfera un agudo olor a salmuera que persiste durante horas. Lo mismo ocurre con productos como la cebolla, la comida con especias y el pescado. Téngalo en cuenta si usted y su familia tienen unos olfatos sensibles.

¿Tengo algo especial que ofrecer?

Si es un experto en cocina vietnamita o si sus *apfel strudels* (una especie de tarta de manzana) austríacas son un delirio, puede ofrecer algo con lo que no pueden competir las grandes empresas de *catering*. Sáquele partido.

¿Estoy dispuesto a trabajar a cualquier hora?

Si va a montar una empresa de *catering*, incluso en el caso de que haga las comidas en casa, esté preparado para ponerse a lavar platos a medianoche o levantarse al alba con el fin de preparar un *picnic* para veinte personas. Algunos cocineros encuentran un gran estímulo en la absoluta variedad y en la incertidumbre horaria. Otros, los que tienen hijos pequeños y una rutina doméstica que cumplir, no.

¿Estoy en forma?

Cocinar en grandes cantidades puede comportar tener que cargar con pesadas bandejas, cacerolas llenas de agua hirviendo y quizá cajas de vino. No realice este tipo de trabajo si ve que su físico no va a resistirlo. Trabaje en algo a menor escala.

VÉNDASE USTED MISMO Y SU PRODUCCIóN

No basta con ocultarse tras los fogones de gas y esperar a que la gente venga a buscarle. Como cocinero profesional, tendrá que aprender a vender sus servicios de una forma u otra. Al principio, prepare aquellos platos que siempre han sido la admiración de sus amigos; intente venderlos en puestos de mercados y después en pequeños restaurantes y tiendas de comidas preparadas, antes de meterse en compromisos más complejos, como un negocio de *catering* para cenas de celebración.

La presentación

Haga lo que haga, la presentación es lo que cuenta. Sus tartas o sus mermeladas pueden tener un sabor delicioso, pero también han de tener un buen aspecto. Puede aprender mucho observando simplemente las secciones de comidas preparadas de los grandes almacenes o visitando al especialista local en la materia para enterarse de cómo presentan sus productos. Los pastelillos, por ejemplo, se han de presentar en decorativas fundas de papel. Y resulta sencillo elaborar atractivas tapas para los tarros de mermelada y conservas con tela a cuadros cortada en círculos con tijeras dentadas, lo que les da el aspecto de algo hecho en casa. Añada después sus propias etiquetas «de diseño», que pueden ser escritas a mano y después reproducidas por fotomecánica; incluso podría aprender una escritura itálica sencilla para este propósito.

EL "CATERING"

Este tipo de cocina se divide en dos categorías: servicio de comidas para celebraciones especiales y servicios menores, más regulares. Merece la pena preparar la comida en su propia cocina, utilizando el equipo que le resulta familiar, y después acabarla en el domicilio del cliente. Puede ser agotador meterse en una cocina que no le resulta familiar y tener que buscar los utensilios precisos en el último momento, así que lleve siempre consigo un «equipo quirúrgico» básico, compuesto de cuchillos, mondador, prensa de ajos, abrelatas y sacacorchos.

Fiestas con servicio de comedor

Tanto si tiene que preparar una pequeña fiesta con cena como un banquete, es vital que pierda de antemano algún tiempo con su cliente para averiguar con exactitud en qué tipo de escenario se celebrará. Es conveniente que tenga a mano la siguiente lista de preguntas:

¿Cuántos invitados habrá?

¿Y hay que considerar esa cifra como definitiva? Tenga siempre en cuenta que puede aparecer una pareja de más en el último minuto o que puede fallar alguien. Es buena idea dejar claro ante el cliente que la factura seguirá siendo la misma aunque alguien falle, por ejemplo, en las 24 horas anteriores al banquete. De este modo, podrá comprar lo necesario poco antes del evento, de manera que no le sobren muchas cosas. Si hay muchos invitados y poco espacio, hará bien en sugerir una fiesta con buffet más que una comida servida en la mesa.

¿Llegarán invitados con retraso?

¿Y quieren los invitados tomar antes un aperitivo? Si la respuestas es sí, un *soufflé*, puede no ser adecuado. Es mejor servir algo frío. Asimismo, para el segundo plato es preferible algo cocido, más que frito, para que no se eche a perder.

¿Se demorará la comida?

Si durante la fiesta se pronuncian discursos, se sirven muchas bebidas y hay una gran cantidad de animadas conversaciones, la comida puede prolongarse hasta lo indecible. En este caso, no es una buena idea servir guisos que se tienen que comer calientes. Tendrá que servir algo frío, aunque exótico, que esté preparado de antemano.

¿Se espera que sirva la comida o que desaparezca?

Una amiga mía se gana muy bien la vida como cocinera «fantasma». Prepara cenas de celebración para personas que después dicen que lo han cocinado ellas. Una vez me encargó que entregara un fabuloso menú de cuatro platos a una señora que era famosa en la localidad por las cenas que preparaba. La señora me había dado instrucciones estrictas de que desapareciera antes de que llegaran los primeros invitados. Asimismo, tuve que proporcionarle una lista detallada de lo que había en cada plato y de cómo se había preparado… ¡por si acaso le preguntaban sobre ello!

¿Quién proporciona las bebidas?

Esté siempre preparado para aconsejar a su anfitrión sobre los vinos apropiados para cada plato. Si éste espera que sea usted quien se encargue de las bebidas, pídale dinero por adelantado, pues pueden suponer un gasto considerable. Y añada un margen para su beneficio: los restaurantes doblan el precio de la mayoría de los vinos que sirven, pero tampoco debe abusar.

¿El anfitrión es rico o está apurado?

Trate de evaluar por adelantado la cantidad que su cliente está dispuesto a gastar. No tiene sentido trabajar para él en un menú costoso, cargado de caviar, salmón ahumado, caza y productos similares si resulta que anda justo de dinero. Con un poco de ingenio y muchas verduras, puede preparar una excelente comida. Las frutas frescas (como las frambuesas fuera de tiempo, por ejemplo) son caras, pero son perfectos para saltear una tarta o una crema fría con un toque de brandy.

¿Qué otros servicios puede ofrecer?

Además de una excelente comida, podría ofrecer arreglos florales, música y un servicio de taxi a domicilio… y sacar tajada. Gradualmente, podría ir convirtiéndose en un auténtico organizador de fiestas.

Tapas

También podrá ganar dinero elaborando tentadores manjares que no necesitan ni cuchillo ni tenedor. En un extremo de la escala, puede preparar imaginativos canapés, que incluso se pueden adquirir con los ingredientes congelados. En el otro, podría preparar un buffet de tapas o pinchos para un gran número de personas, con delicias hechas con una base de hojaldre, pan, o, más de moda, masa de pizza.

La gente se acostumbrará a comprarle este tipo de comida porque saben que hacerlo ellos mismos y lleva mucho tiempo. Sin embargo, esto debería hacer sonar la alarma de su cabeza por lo que se refiere a los costes. La elaboración de estas delicias lleva más tiempo que cualquier otra clase de comida, no sólo por el proceso sino también por el número de ingredientes que hay que adquirir. Así que sea meticuloso al hacer números y asegúrese de que tiene tiempo suficiente. No obstante, si las sumas son correctas, se encontrará con un producto cautivador que, a partir de una cantidad relativamente pequeña de ingredientes del todo exóticos, se puede dilatar bastante, y cuyo éxito está garantizado.

Bocadillos

Preparar bocadillos para oficinas y despachos puede ser un negocio lucrativo. Utilice su imaginación y estudie el mercado. Si sirve a una oficina en la que todo son mujeres, probablemente debería preparar bocadillos «de dieta», con rellenos bajos en calorías, o quizá ensaladas individuales, mientras que los hombres prefieren algo más sustancioso. Éste es un mercado que se agota rápidamente, así que investíguelo primero. Es posible las nuevas oficinas de una filial no hayan sido copadas por un «bocadillero» rival y tenga la oportunidad de ser el primero. Y no se olvide de las peluqueras, que no pueden salir a comprar bocadillos por sus ajustados horarios. Quizá pueda servir también a sus clientas. Si es capaz de conseguir una clientela, los bocadillos y sándwiches le pueden reportar unos ingresos bastante regulares. Pero esté dispuesto a levantarse al alba para poner en marcha su «máquina-de-hacer-bocadillos».

BOLLERÍA CASERA

Las pastas y bollos son agradables de hacer, y decorándolos demostrará sus dotes artísticas. Si tiene aptitudes para este tipo de cocina, entre sus clientes se pueden incluir los salones de té, así como consumidores particulares que deseen algo especial para una fiesta o una boda. Recuerde que las cosas pequeñas, como panecillos, bollitos, bizcochos y galletas, dan más dinero que una pieza grande que se tiene que partir, a menos que se trate de un pastel de cumpleaños.

Pan

No se dedique a vender pan, incluso aunque sus piezas rayen la perfección, porque se verá metido en una verdadera jungla de pesos y medidas. Sin embargo, hay que excluir de esto las hogazas de pan de malta, de frutas, de nueces y/o queso, que son muy apreciadas. Podría, por ejemplo, abstenerse de elaborar la barra de pan tradicional y dedicarse a esos panes campestres que tienen aceitunas o nueces. No obstante, tendrá que ser meticuloso con el peso de los ingredientes y elaborar algunas muestras antes de comprobar que puede conseguir hogazas del mismo peso y medida en cada ocasión.

Si está pensando en montar una empresa de bollería, investigue primero en supermercados y panaderías para enterarse de qué es lo que ya se vende empaquetado. Le será muy difícil convencer a la gente de que sus bollos de mermelada saben realmente bien y no a cartón, como ocurre con muchos de esos productos envasados.

En vez de eso, váyase hacia lo tradicional. Busque recetas antiguas —utilice para ello libros de cocina clásicos— y elabore productos que tengan historia. Las especialidades locales y regionales, como tortas de manteca, pan de jengibre, magdalenas y melindros, son opciones evidentes. Si las envasa de un modo atractivo, puede incluso venderlas a los turistas. Y no le preocupe si las tortas de aceite son una especialidad del sur; quizá también les gusten a la gente del norte.

El espacio del horno va a ser su preocupación principal, ya que tendrá que hacer grandes cantidades de bollos, así que busque bandejas rectangulares, más que redondeadas, para poder colocar en ellas más piezas de una vez.

Venta directa al público

Una buena forma de entrar en el comercio de la bollería casera es concertar la venta con un distribuidor importante. Acuda antes al mercado para enterarse de qué productos tienen mejor salida, y concéntrese en ellos. No obstante, si tiene algo realmente insólito, concédase un cierto tiempo —digamos un mes— para ver si resulta; pero hágalo en pequeñas cantidades.

Si sus bollos tienen algún tipo de historia, cuéntela: escriba una breve tarjeta informativa para que la gente la lea. El coordinador del mercado local le puede prestar una gran ayuda en cuestiones como la fijación de precios.

COCINAR PARA RESTAURANTES, BARES Y CAFETERÍAS

Aunque actualmente los cocineros están resurgiendo como las verdaderas estrellas del negocio de la restauración y están dirigiendo sus propios establecimientos, es un hecho comprobable que los bares y cafeterías los llevan personas que no son realmente cocineros.

Estos preparan principalmente comidas precocinadas que se calientan en el microondas en el último momento. Ahí es donde puede entrar usted: para quienes administran muchos de estos establecimientos puede significar un respiro disponer de un cocinero particular al que recurrir para la entrega de determinados productos, sobre todo si les puede proporcionar un cierto aire «casero». Evite los bares que sirven comidas rápidas para tomar de pie. Oferte sopas caseras, por ejemplo, y dará el golpe de modo inmediato.

También podría ofrecer pasteles, tartas y postres sin sabor a cartón, como los que acostumbran a servir en esos establecimientos. Podría hacer postres que se acabarían de preparar en el restaurante o cafetería: por ejemplo, un pastel recubierto de una capa de pasta a punto para ser gratinada en el último momento. De esta menera se daría la impresión de que se trata de elaboraciones propias de aquel local. Las ensaladas, como la de judías verdes con atún o la de pollo con endivias, y los patés, como el de hígado de pollo, el de anchoas o el de salmón ahumado, pueden ser muy apreciadas en los bares y cafeterías para ponerlos a la venta a las horas de almorzar.

Seguramente los restaurantes de alta categoría no necesitarán de sus servicios, pero los que aspiran a ascender en la escala pueden muy bien estar interesados en panes especiales para servirlos con sus platos de queso, postres especiales que el cocinero sea incapaz de elaborar y, si están metidos realmente en la nueva cocina, en el último invento de los grandes chefs, los *amuse-gueules* («divierte-gargantas», en francés), un aperitivo equivalente a las pastas saladas, pastas livianas y rebanadas de pan tostado recubiertas de cebolla confitada. Aunque son productos que exigen mucho tiempo para un cocinero atareado, es fácil elaborarlos y decorarlos haciéndolos en casa para entregarlos después por la puerta trasera.

CONSERVAS, ENCURTIDOS Y CONDIMENTOS

Utilice las frutas del verano para elaborar encurtidos y conservas. No piense sólo en colocar sus productos en tiendas especializadas. Podría venderlos a restaurantes y cafeterías que no sólo disfrutarán con la utilización de sus productos, sino también vendiendo sus tarros en el mostrador. Otras salidas son los puestos del mercado y los mercadillos ambulantes. Y una vez que tenga confianza, se abrirán nuevas posibilidades, como por ejemplo la venta por correo mediante la publicación de pequeños anuncios. Eventualmente, puede usted llegar a tener un pequeño catálogo que incluya cestas navideñas de sus productos como objeto de regalo.

Como es sabido, existen unas normas estrictas sobre lo que puede y lo que no puede añadir a sus productos para realzarlos. Algunos aditivos se usan como colorantes y otros, como conservantes. Consiga un manual actualizado sobre el tema antes de utilizarlos, y asegúrese de que los incluye entre los ingredientes citados en la etiqueta.

El mejor amigo de la persona que prepara encurtidos es el congelador. En este caso, esta pieza resulta imprescindible. Puede comprar frutas o verduras y ponerlas literalmente en hielo hasta que necesite usarlas. A menos que tenga una cocina con un horno de cocer a fuego lento, necesitará también un caldero para esterilizar los tarros. La higiene es de importancia vital en la elaboración de conservas para la venta. Sería embarazoso verse obligado a recoger un montón de tarros con una capa de moho por encima de la mermelada. Y esto le conduciría a perder dinero más que a ganarlo.

Si va a preparar conservas, tiene que atenerse a las normas legales sobre etiquetado. Tiene perfecto derecho a darles a sus tarros un aspecto casero con una etiqueta escrita a mano que diga, por ejemplo, «Mermelada de Frambuesa de la Abuela María». Pero en alguna parte del tarro debe figurar la siguiente información: una lista de los ingredientes (por orden de peso), la mención «consumir preferentemente antes de...» y cualquier condicionamiento especial de almacenamiento o empleo, como, por ejemplo, «Una vez abierto, conservar en el frigorífico». Debe figurar también su nombre y dirección (lo que le puede ser útil para futuras ventas), y una marca del lote. Todo esto se podría poner en una pequeña etiqueta pegada por detrás.

Si cultiva sus propias verduras, no olvide que los encurtidos vegetales son muy provechosos y fáciles de elaborar. Asimismo, puede preparar mostazas de hierbas.

DULCES Y CONFITERÍA

Los dulces de elaboración casera siempre han estado considerados una buena adquisición, sobre todo si están envasados de un modo atractivo. Si posee un repertorio de recetas de dulces a punto para ser puestas en práctica, desde caramelos caseros hasta delicias turcas o cremas de menta, sáqueles partido: quizá puedan proporcionarle una fortuna. Elizabeth Shaw, la de la famosa crema de chocolate a la menta, inició su negocio en una cocina, al igual que otros célebres confiteros que llevan mucho tiempo vendiendo como grandes firmas comerciales... y embolsándose los beneficios.

Trabajar con chocolate —elaborando a mano trufas, chocolatinas o incluso huevos de Pascua— es algo que se puede aprender, y no es difícil encontrar moldes especiales hechos a propósito. Los pastelillos hechos con mazapán moldeado son también fáciles de confeccionar y los puede coronar con nueces o cualquier otro tipo de ornamentación. Para tener éxito en este negocio, debe conseguir un proveedor que compre sus productos regularmente, como un restaurante, puesto que se deterioran con mucha rapidez.

Las frutas confitadas son otra variedad de confitería que resulta divertida, sobre todo si cultiva su propia angélica, violetas o pétalos de rosa. Éstas se pueden conservar durante cierto tiempo, si están adecuadamente envasadas, y pueden reportarle muchos beneficios, particularmente en la época navideña. Toda la confitería requiere una presentación atractiva, de modo que tendrá que comprar cosas como bolsas de celofán y quizá lujosas cajas de cartón con tapa transparente. Es posible que las cafeterías locales y las confiterías adquieran sus dulces a granel, aunque la mayoría de las personas los preferirán envasados.

COMIDA PARA OCASIONES ESPECIALES

Si está pensando en introducirse en el mundo del *catering* , tendrá que disponer de un atractivo folleto con una lista de sus servicios, agrupados por menús. Y, si es posible, tendrá que tener también un álbum con fotografías de menús festivos que haya confeccionado, de modo que el posible cliente se haga una idea de sus habilidades.

Si tiene que cubrir una celebración de cualquier tipo que implique el alquiler de la cubertería, cristalería, sillas doradas o incluso un entoldado, ésa puede ser su oportunidad de ganar algún dinero suplementario. Busque proveedores de confianza (empiece por las Páginas Amarillas) y ofrézcale a su anfitrión el trabajo al mejor precio. Una vez establecidos tales contactos, tome nota de ellos en su agenda: así tendrá a mano todos los detalles para la próxima ocasión.

Bodas y bautizos

Que ofrezca el menú completo o sólo el pastel depende del alcance de su negocio y del tiempo que lleve actuando como empresa de *catering*. Es absolutamente necesaria una gran experiencia para hacerse cargo de un banquete nupcial o de una fiesta de bautizo, y a menos que esté seguro de que le salen los números, puede acabar pagando a su cliente por el privilegio de hacerlo, más que cobrándole. Por otra parte, si está seguro de los costes, los acosados padres están siempre al acecho de alguien de confianza a quien encargar la provisión de tales eventos a precios razonables.

Los pasteles, además, resultan siempre rentables, pues se tienen por algo de gran valor. Si una de sus aptitudes particulares es la decoración de pasteles, ésta es, en definitiva, un área en la que puede hacer dinero.

Pasteles divertidos

Un negocio en el que se elaboraran divertidos pasteles de cumpleaños o para cualquier otro tipo de aniversarios podría funcionar en una zona densamente poblada. Considere la posibilidad de hacer entregas en oficinas, por ejemplo. En las grandes empresas para las que yo he trabajado, cualquier miembro del equipo que celebra su cumpleaños se ve obligado a sacar a relucir un pastel a la hora de la merienda, y ahí es donde puede entrar usted, realizando algo apropiado para la ocasión y el ambiente. Yo todavía no he visto un pastel con forma de ordenador, ¡pero seguro que alguien lo ha hecho!

Para elaborar pasteles para ocasiones especiales necesita algo más que talento para sacarse de la manga algo espectacular. Asimismo, tiene que saber tratar a la gente. Tiene que charlar con sus clientes potenciales acerca de su modo de vida, sus aficiones… y reunir toda la información necesaria para proponerles un diseño de pastel. Tiene que tener un álbum de sus trabajos, no sólo para poder mostrar lo bueno que es, sino también para destapar nuevas ideas. Si está en los comienzos, elabore algunos bonitos pasteles y fotografíelos: eso convencerá a otros clientes sin necesidad de explicárselo con palabras. Venda esas tartas a alguna pastelería.

Enseñe a sus clientes muestras reales de costra de azúcar coloreada (pegada en cartulinas), de manera que cuando les hable de verde o de azul se imaginen cómo va a quedar. Y asegúrese de fijar desde un principio la cantidad que están dispuestos a pagar por el producto final.

Cuando diseñe un pastel, tenga en cuenta que probablemente tendrá que entregarlo usted mismo, y uno que esté hecho con ingredientes que se hayan cuajado en bloque sobre la base tiene más probabilidades de sobrevivir a un viaje en el maletero del coche que una torre inclinada de Pisa metida en una caja. Utilice envases de polietileno y no bolsas de plástico, que se pueden adherir a la superficie del pastel y estropear la capa de azúcar.

Provisiones para fiestas infantiles

A muchas madres, sobre todo las que trabajan la jornada completa, les encantará oír hablar de alguien que puede proporcionarles todo lo necesario para una fiesta infantil de cumpleaños. Los gustos en cuanto a lo que se sirve en tales fiestas han cambiado con los años, y productos como el pastel de crema y jalea han caído en desuso y han sido sustituidos por bocadillos de embutido, mini-pizzas y hamburguesas, así que hágase una idea clara no sólo de lo que desea su anfitriona sino también de lo que esperan encontrar para comer los niños en cuestión.

Sugiérales temas actuales (tortugas Ninja, piratas, dinosaurios o cualquier cosa que aparezca en las pantallas de televisión) y acuda con algunas ideas en esta línea. Si tiene una buena veta empresarial, podría ofrecer el aprovisionamiento de vasos de papel, servilletas, banderolas e incluso bolsas con pequeños regalos baratos para los invitados, y le ahorraría a los padres este problema. Este tipo de servicios suplementarios pueden reportarle más dinero que la simple elaboración de un pastel de cumpleaños, y será una manera ideal de promocionarse. Reúna una lista de prestidigitadores, payasos y otros artistas del entretenimiento (revise los pequeños anuncios en su periódico local o en las publicaciones gratuitas) y se encontrará dirigiendo todo un negocio como organizador de fiestas.

Eventos sociales

Si le gusta el *catering* a gran escala, busque la ocasión de aprovisionar a clubs y asociaciones locales en sus eventos especiales. Los socios pueden muy bien estar interesados, ya que a las atareadas mujeres actuales no les apetece trabajar los fines de semana. Puede ofrecer sus servicios para un acontecimiento deportivo. En ese caso, piense en preparar grandes cantidades de sustanciosa comida, pues se va a encontrar con gente de mucho apetito.

OTRAS FORMAS DE TRABAJAR EN LA COCINA

Comida extranjera

Conforme nos hemos ido haciendo más cosmopolitas en nuestros hábitos alimentarios, cada vez hay más gente que sirve en sus fiestas las llamadas comidas «exóticas». Y si sus orígenes son, por ejemplo, chinos, indios o italianos, posee una herencia de la que podrá sacar partido en ocasiones especiales. Puede ofertar un menú más amplio y más interesante que el de los restaurantes locales, y bandejas más atractivas que las que estos suelen servir. Anuncie sus servicios en el periódico local y trate de conseguir, además, que publiquen un artículo sobre usted (diríjase al redactor de la sección gastronómica). O escríbalo usted mismo, explicando cómo ha montado su negocio y qué servicios ofrece.

Comidas para ser fotografiadas o filmadas

Cocinar para fotógrafos o cineastas es un trabajo sumamente especializado. Hoy día se pone mucho énfasis en la exhibición de comida auténtica en las fotos de las revistas; los días en que se utilizaba crema de afeitar en vez de merengue, por ejemplo, ya pasaron a la historia. No obstante, se conservan aún algunos «trucos del oficio», como rellenar una «empanada de carne picada y riñones» con papel de periódico arrugado en vez de la carne, o pintar con aceite la superficie de otros platos para darles un brillo atractivo.

Si le llama la atención este tipo de *catering* especializado, aunque muy bien pagado, la mejor manera de aprenderlo es con alguien que ya esté realizando este tipo de trabajos.

La ex modelo Claude se ha especializado ahora en preparar comidas para la televisión. «Yo solía hacer anuncios y así es como me metí en esto. Había invitado a comer a varios miembros del equipo y se quedaron sorprendidos al ver mi comida, así que el productor me preguntó si quería prepararles algún plato para un anuncio que estaban rodando. Es agotador, aunque divertido. Un día tuve un accidente de coche y toda la comida se echó a perder. Fue horroroso.»

Marese, por otra parte, es el cerebro en la sombra de un programa presentado por una célebre cocinera. «Es probable que piense usted que es ella misma quien prepara los platos —dice Marese—, pero el hecho es que ella está demasiado ocupada, y ahí es donde entro yo.»

El estilismo gastronómico es otra rama del panorama fotográfico. Se contrata gente para que explique con exactitud la forma correcta de poner la mesa, disponer los platos y colocar los accesorios que complementan la escena. Si tiene experiencia por haber trabajado en alguna revista o para un fotógrafo, ésta puede ser otra opción.

Escribir libros de cocina

Debe tener presente que el mercado de los recetarios de cocina tiene ya un buen surtido de autores. Pero si tiene una idea absolutamente novedosa para un libro de cocina, quizá sea conveniente que se ponga en contacto con un editor. También puede escribir una columna gastronómica para su periódico local... si es que no la tiene.

Si tiene cierta experiencia en edición, quizá pueda encontrar trabajo como corrector de pruebas de recetarios de cocina, que es algo que requiere una preparación intelectual adecuada, además de unos conocimientos culinarios básicos.

Alquiler de enseres

Si se dedica a cocinar a gran escala, pronto habrá acumulado una cantidad considerable de cacharros y cristalería. Una eficaz actividad complementaria del negocio de *catering* es el alquiler de porcelana y cristalería para ocasiones especiales. Anuncie sus servicios en el periódico local; asegúrese de que le dejan una cantidad en depósito para cubrir los posibles desperfectos. Algunos servicios de alquiler piden a sus clientes que no laven la cristalería después de usarla. Puede elegir esa opción o no, pero si lo hace, recuerde que ha de sumar un coste adicional por el uso de su lavavajillas.

LA COCINA SOCIAL

Si es buen cocinero, le gusta la gente y posee una agenda abultada, entonces dar cenas de manera profesional es una forma de ganar amigos y dinero simultáneamente. Elabore una lista de personas (con la ayuda de sus contactos y amistades) y notifíqueles que va a dar una cena-tertulia con tal tema y en tal fecha (por ejemplo, una velada francesa, mexicana o italiana), haciendo constar el importe de la invitación. Su prestigio se expandirá rápidamente a través de recomendaciones personales, y sus invitados acabarán acudiendo no sólo por su comida sino también por la posibilidad de hacer nuevos amigos.

Louise, una enérgica norteamericana, da unas cenas que están teniendo cada vez más éxito. «Esta idea la tuve ya en los Estados Unidos en los años ochenta —afirma—. Contraje una fiebre glandular que me obligó a dejar mi trabajo, así que tuve mucho tiempo para pensar. Asumí la situación y me di cuenta de que las dos cosas que más me gustaba hacer era cocinar y dar fiestas. Había oído hablar de otra norteamericana que dirigía un club privado de cenas en París, de modo que cuando me mudé a Londres, se me ocurrió que podía intentarlo por mi cuenta.» Al principio, Louise daba una cena mensual como proyecto a tiempo parcial. Al cabo de un tiempo, decidió dejar su trabajo y dedicarse por completo a sus tertulias gastronómicas.

Cada viernes, alrededor de veinte personas coinciden en su enorme piso de Londres sobre las siete y media de la tarde para tomar un aperitivo servido en la sala de estar. Después, a las ocho y media, se sientan a cenar. Conforme van llegando, Louise hace un aparte con cada uno de sus invitados para preguntarles algo sobre sí mismos y después los presenta al resto de las personas. En la mayoría de las cenas cuenta con un amigo (que cena gratis) que le hace este trabajo mientras ella está en la cocina.

Debido al número de invitados, Louise dispone una serie de mesas separadas, todas con adornos florales, velas y tarjetas con los nombres de los invitados. También hay una copia del menú en cada mesa.

Las cenas son una mezcolanza variable: algunos de los invitados son habituales y otros acuden a remolque de amigos. Como Louise había trabajado en el mundo del teatro, muchos de ellos son artistas, y el conjunto incluye una fascinante mezcla de nacionalidades. La planificación de los asientos exige un trabajo particularmente cuidadoso ya que, tanto como por la buena comida, la gente acude a sabiendas de que se va a encontrar con compañeros compatibles e interesantes. Ella ha de tomar nota también de las necesidades especiales de los invitados. «Lo que realmente detesto —dice Louise— es un vegetariano estricto: es casi imposible satisfacerlos y hay que cocinarles platos especiales.» Las veladas, por lo general, son temáticas (recientemente Louise ha programado una serie de sesiones dedicadas a varias regiones francesas, algunas de las cuales han demostrado ser particularmente populares).

Como anfitriona, igual que como cocinera, Louise tiene que planificar el trabajo por anticipado. «Es muy importante estar totalmente organizado —afirma—. Yo planifico un menú que incluye ciertos platos que se pueden preparar el día anterior (un entrante y/o un postre). He tenido que comprar un frigorífico gigantesco para almacenar la comida, pero ha resultado una buena inversión.» Ahora tiene empleada una joven estudiante que le ayuda entre bastidores con el servicio y las tareas culinarias de última hora.

COSTES, SEGUROS Y TRANSPORTE

Costes

El coste en alimentación puede ser realmente engañoso: el precio de los ingredientes básicos fluctúa con frecuencia, y llevar a cabo una estimación de la cantidad que comerá un determinado número de personas requiere práctica, sobre todo cuando se enfrenta con un *buffet* libre.

Si se dedica a hornear al por mayor, básicamente tiene que sumar el coste de los ingredientes, su tiempo, el coste del envasado, el de la entrega y gastos generales como la electricidad. Esto le dará el coste total. Lo que cargue al cliente dependerá de dónde viva (los precios son siempre más altos en las ciudades), de lo que la gente de su localidad acostumbre a pagar por un producto similar y de una remuneración razonable por la dureza del trabajo.

En una empresa de *catering*, los costes son engañosos. Antes que nada, busque en las Páginas Amarillas otras empresas similares y pídales presupuesto para una ocasión ficticia. A partir de ahí, rebaje sus precios. No sienta remordimientos por ello; ¡cualquier día alguien le puede hacer lo mismo a usted!

También puede incrementar progresiva y cuidadosamente sus recetas básicas. Judy Ridgeway, en su libro *Running Your Own Catering Company* («Cómo llevar su propia empresa de *catering*»), afirma que el truco consiste en calcular el peso de todos y cada uno de los ingredientes de una receta (por ejemplo, la clara de un huevo pesa aproximadamente 25 gramos). Y después, según dice, convertir una receta para cuatro personas en una para 40, multiplicando los pesos por diez. Lleve su propio control de las raciones sirviendo la comida en recipientes de tamaño fijo, siempre que le sea posible. Si lo que está preparando es un *buffet*, es fatal exhibir pasteles y permitir que los comensales se corten sus propios trozos.

Los aficionados cometen a menudo el error de fijar unos precios muy bajos para que la gente no pueda resistirse a la ganga. El problema es que resulta mucho más fácil bajar los precios que subirlos, pues esto último despierta sospechas entre la gente. Si vende sus productos a través de una compañía distribuidora, los administradores de ésta pueden ayudarle en este tema.

Seguros

Cualquiera que lleve un negocio de *catering* necesita estar respaldado por un buen seguro. Aparte de cubrirse contra emergencias, como un corte de fluido eléctrico, que puede afectar a la cocina, al frigorífico y al congelador, tiene que cubrirse también contra la posibilidad de intoxicación por los alimentos y contra los desperfectos de la vajilla del cliente o la suya.

Transporte

Como es casi seguro que tendrá que llevar la comida de un lado para otro, considere la necesidad de disponer de un coche propio. Las normas legales, no sin razón, dicen que no se puede utilizar el mismo vehículo para transportar comida y animales, de modo que si tiene que llevar la mascota familiar, hágalo en otro vehículo. Necesitará un coche con un maletero espacioso (más adelante, si quiere, quizá pueda invertir en una furgoneta equipada con estantes). La mejor elección es una que tenga puerta trasera, ya que cuando ésta se cierra su comida queda al resguardo de posibles ladrones. Pregunte en el ayuntamiento de su localidad sobre las normas que hay que cumplir para el transporte de comida.

CAPÍTULO 4

Ponga en marcha su propio negocio

Montar un negocio en casa es fácil y ponerlo en marcha no le va a representar un desembolso excesivo. Hay determinados trabajos que puede hacer provisto simplemente de un escritorio y un teléfono; encontrará las sugerencias en las páginas siguientes.

Muchos servicios profesionales se pueden trasladar fácilmente del despacho a casa. Para un abogado, por ejemplo, es perfectamente posible ejercer desde su propio domicilio. Y cualquiera que sepa de contabilidad no debería tener dificultades para trabajar en casa, hacerse con una clientela personal, con precios más bajos que otras empresas contables y quizá especializarse en grupos de profesionales con intereses fiscales semejantes. Los contables, como los abogados, suelen cobrar por horas y por el trabajo realizado.

Aunque no esté cualificado para llevar a cabo un trabajo profesional, hay una serie de servicios que puede ofertar al mundo empresarial.

SERVICIOS ADMINISTRATIVOS

Contabilidad

Si sabe lo básico de números y es una persona cuidadosa, no le resultará difícil aprender contabilidad dirigida a pequeños negocios. Siempre puede ir a una academia, donde le enseñarán diferentes cuestiones, así como comprarse un libro de texto sobre esta materia. Una posibilidad sería especializarse en un grupo determinado de personas, llevándoles a domicilio sus libros cada semana o cada mes para mantenerlos al corriente.

Una buena parte de sus obligaciones sería llevar a cabo las devoluciones del IVA, lo que le podría reportar unos buenos beneficios. Todo lo que necesita para trabajar es una calculadora, un teléfono, un extracto de las últimas reglamentaciones fiscales y una buena cabeza para los números. Y si tiene un ordenador y puede ofertar la realización de hojas de cálculo y previsiones de tesorería, los resultados serán mejores.

Domiciliación postal

Mucha gente necesita un domicilio postal por razones diversas. Y esto es algo que puede proporcionar. Muchas personas que viven en el extranjero o que pasan mucho tiempo viajando necesitan a alguien que les envíe la correspondencia. Si vive en una gran ciudad, a muchas pequeñas empresas de provincias les pueden ser útiles sus servicios. Usted decidirá si va a dedicarse simplemente a llevarles la correspondencia o va a hacer algo más, y lo que tiene que cobrar en consecuencia. En cualquier caso, no se trata de un trabajo penoso. Pero es esencial, para su propia tranquilidad de ánimo, que se sienta a gusto con el negocio al que representa. Evite todo aquello que pueda levantar la menor sospecha de inmoralidad. Si no está seguro, pida referencias personales.

Servicio de fax y fotocopias

Si ya los tiene o está pensando en invertir en un fax y/o una fotocopiadora —en la actualidad existen modelos de sobremesa—, puede ofrecer tales servicios a personas de su localidad, a precios más bajos que los profesionales situados en las calles más céntricas. Yo me quedé sorprendida hace poco, cuando mi fax se estropeó, de los abusivos precios que cobraban por este servicio en una pequeña tienda de una esquina. Estas dos máquinas han bajado dramáticamente de precio últimamente y cada vez somos más los que las tenemos en casa. Si quiere prestar un servicio aún más personal, podría recoger y entregar trabajos de modo regular.

Mecanografía

Si es un mecanógrafo competente y de fiar, puede preparar manuscritos para autores y académicos, lo que es a la vez interesante y productivo. Si posee un procesador de textos con diccionario ortográfico, aún mejor, ya que su trabajo tendrá un aspecto más profesional y lo hará con mucha más rapidez.

Para encontrar clientes, anúnciese en la prensa local y en los anuarios de escritores y artistas. Póngase en contacto también con la Sociedad General de Autores y con el gremio de escritores. Si ofrece un servicio rápido y eficaz, su nombre pasará rápidamente de boca en boca. También es interesante ponerse en contacto con universidades y colegios profesionales, para ofrecer el servicio de mecanografía de tesis. Recuerde asimismo que a profesionales como abogados y procuradores les vendrá muy bien saber de usted para el caso de que se les presente un trabajo urgente y no tengan a nadie disponible en sus oficinas.

Si tiene un ordenador o una máquina de escribir electrónica, puede ofrecer a sus clientes el servicio complementario de la elección de tipos de letra. Elabore un muestrario a fin de que puedan elegir por sí mismos. Entérese, con discreción, de si está autorizado a corregirles su gramática o su ortografía en caso de que sea necesario; mucha gente anda floja en una de estas áreas, o en ambas, y le vendrá bien tal servicio.

El mecanografiado se suele cobrar por páginas o por millares de palabras. Si tiene que hacer un trabajo especializado (por ejemplo, insertando bloques en distintos tipos de letra), puede cobrar más. Si el manuscrito original está hecho con mala letra o con muchas correcciones, lo mejor es cobrar por horas. Y no olvide cargar algo por el coste del papel, además de por las fotocopias o las copias suplementarias.

Preparar currículos

Preparar o actualizar CV (*currículum vitae*) es otra rama especializada del negocio meganográfico que puede considerar. A muchos jóvenes profesionales, en los comienzos de su carrera, se les plantea el problema de actualizar sus CV. Póngase en contacto con colegios y facultades, hospitales y otras instituciones similares, y ofrezca sus servicios.

Los plazos de entrega son esenciales en este tipo de trabajo: siempre tiene que contar con que le proporcionarán el material a última hora y con prisas, así que prepárese para trabajar por las noches si es necesario, y cóbrelo en consonancia. Sin embargo, si se gana a pulso un prestigio por ser rápido y eficiente, no puede irle mal.

También podría conseguir trabajo de manera regular en una agencia de mecanografía. Esto quiere decir que ha de estar disponible en todo momento para aceptar un trabajo; si no es así, no acudirán en su busca otra vez. Averigüe en su periódico local o en revistas especializadas los nombres de las empresas que buscan gente para este tipo de trabajos. También puede empezar a montar su propia agencia, distribuyendo trabajo a otras personas, aunque si quiere instalarse como empresa necesitará una licencia mercantil.

Traducciones

Si tiene facilidad para las lenguas, debería resultarle fácil conseguir trabajo en casa como traductor de cartas, manuscritos, recortes de periódicos y libros. Si posee, por ejemplo, conocimientos técnicos especializados en medicina o en alguna otra rama científica, puede cobrar más de lo usual por este trabajo.

Lo normal, por cierto, es traducir de una lengua extranjera a la suya, y no al revés, a menos que sea de nacionalidad extranjera.

Dé su nombre en las bibliotecas públicas y establecimientos académicos, póngase en contacto con empresas que vendan al extranjero, así como con empresas extranjeras que se instalen en su zona. También puede contactar con asociaciones profesionales de traductores.

También podrá obtener ingresos lucrativos ayudando a personas extranjeras a escribir cartas dificultosas u oficiales en el idioma local. Otra posibilidad sería ofrecer sus servicios a diferentes colectivos étnicos. Podría asimismo complementar sus ingresos dando clases de lengua a chicos en edad escolar o estudiantes que necesiten una ayuda complementaria para aprobar sus exámenes (véase también el capítulo 7). Asimismo puede ocurrir que las empresas locales requieran ocasionalmente sus servicios como intérprete.

Las traducciones se pagan normalmente por páginas o por palabras, pero si tiene que hacer un índice o un listado, puede cobrar por horas. Las empresas profesionales le proporcionarán información sobre las tarifas vigentes.

Contestador telefónico

Si tiene una buena «voz telefónica» y está dispuesto a pasarse en casa las horas de oficina habituales, puede ganar un buen dinero suplementario recogiendo mensajes telefónicos para otras personas. Más personal y flexible que un contestador automático, su servicio puede ser muy útil para muchos profesionales estresados cuyo trabajo depende de la posibilidad de andar de un lado para otro todo el tiempo. Ellos pueden mantenerse en contacto permanente con usted para recibir sus mensajes o también puede desviar las llamadas a otros números para que las reciban. Anuncie sus servicios en la prensa local.

Servicios informáticos

Si posee un ordenador y sabe manejarlo bien, tiene ante usted todo un abanico de oportunidades, ya sea haciendo hojas de cálculo para pequeñas empresas, componiendo manuscritos para autores y hasta editando folletos u octavillas.

Empezar de cero

Quizá esté pensando en adquirir y utilizar un ordenador por primera vez en su vida y montar un negocio por su cuenta. En tal caso, no sufra la misma desilusión que mucha gente que conozco. Tenían la impresión de que la máquina iba a hacer todo el trabajo por ellos, que sólo tenían que apretar las teclas. Recuerde que alguien ha tenido que introducir antes en el ordenador todo el texto e información. Y este alguien puede ser usted. Así que, si es un principiante, tiene mucho que aprender antes de ponerse a introducir datos.

Asegúrese de que adquiere la máquina ideal para sus eventuales necesidades. Con un modelo barato se podrá aspirar a escritor, se podrán escribir cartas o se podrá llevar una contabilidad elemental. Pero si va a aventurarse en la elaboración de complicadas hojas de cálculo o en la autoedición, necesitará una máquina más potente y versátil. Aparentemente, todos los ordenadores dan la impresión de ofrecer las mismas posibilidades. La diferencia entre un ordenador barato y uno caro reside en la cantidad de trabajo que se puede almacenar en ellos. Las máquinas más caras son más rápidas, y a menudo están preparadas «a prueba de tontos» (la mía, por ejemplo, me pregunta: «¿Quiere usted **realmente** desechar este fichero?»). Como los fabricantes están actualizando constantemente sus máquinas y liquidando las viejas, vale la pena invertir en una de segunda mano que sea bastante potente, más que en una nueva más barata.

Si, por otra parte, tiene experiencia en este trabajo, existen muchas salidas que puede intentar. No sería descabellado considerar que una de ellas es enseñar a otras personas a utilizar

su máquina. Algunas de las más conocidas marcas de ordenadores vienen con unos libros de intrucciones incomprensi-
bles. Así que cualquiera que desee enseñar a los nuevos propietarios de una manera sencilla, paso a paso, cómo usar su
Amstrad o su Macintosh, se encontrará con mucha gente dispuesta a pagarle por este servicio.

Dependiendo de lo que vaya a hacer, puede que necesite un
diccionario ortográfico, un contador de palabras o cosas así. Si
piensa hacer trabajos por cuenta ajena para una empresa determinada, puede que necesite una máquina que sea compati-
ble con las suyas, de manera que pueda enviarles el trabajo en
disquete mejor que impreso.

Si utiliza un procesador de textos para su trabajo profesional,
tendrá que invertir en algo más que una simple impresora ma-
tricial. Tanto las impresoras láser como las de inyección de tinta,
que proporcionan impresiones de aspecto profesional, están ba-
jando de precio y quizá pueda encontrar alguna de segunda
mano, que le resultará aún más barata.

Diseño de membretes

Si posee un ordenador con un procesador de textos, le será fácil aprender a diseñar membretes para otros con una cierta variedad de tipos y tamaños de letra. Hay empresas dedicadas
al diseño gráfico que cobran grandes cantidades por este trabajo, de modo que puede ofertarlo a unas tarifas más bajas y
aún así ganar dinero.

VENTAS

Seguros

Otra posibilidad de ganar dinero es vender seguros, ya sea
como agente para una compañía determinada o, mejor aún, ac-

tuando como comisionista. La comisión que pagan las compañías es alta aunque, al mismo tiempo, si su cliente decide disminuir la cobertura de su seguro es probable que le pidan que reembolse una parte. Necesita muy poca formación, excepto en lo tocante al «producto» que va a vender, puesto que la compañía le respaldará con cotizaciones y datos estimativos. No obstante, tiene que saber tratar a la gente.

Vale la pena disponer de una lista de contactos para empezar, pero no siempre es necesario. William se gana muy bien la vida en casa vendiendo seguros a los aspirantes a ejecutivos de una gran empresa local. «Me hice amigo de la recepcionista, y ella me pasa un ejemplar de la revista de la empresa, con lo que me entero de quién acaba de ser ascendido o celebra un aniversario especial o ha recibido un premio —dice William—. Entonces les llamo para felicitarles y a partir de ahí inicio la venta.»

Patricia empezó a vender seguros desde su casa después de haber decidido que era «inempleable». «No puedo trabajar para alguien que sea menos inteligente que yo», afirma. Entonces vio un anuncio en un periódico nacional pidiendo «Personas ambiciosas que quieran trabajar por su cuenta». Solicitó el empleo y la llamaron para una entrevista en la división de seguros de un gran banco. Le dieron el puesto al momento. «"¿Puede usted hablar con extraños?", fue una de las primeras preguntas que me hicieron —dice Patricia—. También querían estar seguros de que anteriormente ganaba un buen sueldo y de que me había portado bien en mi último empleo. No querían gente acabada.»

Formación
Primero la enviaron a Londres para que conociera el producto, y luego a Birmingham, donde le enseñaron a vender. «Por entonces era tan ingenua que estaba convencida de que estaba vendiendo una especie de proyecto inversor; ¡me llevó ocho semanas darme cuenta de que se trataba de seguros!»

Después, Patricia volvió a su casa y empezó a realizar «llamadas en frío», como se las llama en el argot profesional, o sea, llamadas telefónicas a personas totalmente desconocidas. «Me costó diez días conseguir mi primera venta —recuerda—. Básicamente, se trata de un juego de números: después de seis llamadas negativas, viene una positiva. Vender seguros me ha enseñado dos cosas: a empezar y a terminar el trabajo a una hora determinada cada día, incluso aunque no tengas a quien llamar, y también, el viernes por la tarde, a actualizar la agenda de trabajo y tomarme el fin de semana libre.»

Patricia es realmente feliz con su trabajo. «Ser mujer es una gran ayuda, creo. Siempre tengo la sensación de que estoy haciendo un trabajo de primera clase. Hay muchos huérfanos y viudas que se quedan en la miseria porque nadie se ha preocupado de ellos de antemano. Cada vez que vendo un seguro de vida familiar sé que he hecho un gran favor. He visto lo que ocurre cuando no lo tenían: se han quedado en la más absoluta miseria.»

Ventas en red

El marketing multinivel o en red —o sea, la venta de productos de una determinada compañía al público de forma regular— nos ha llegado de Estados Unidos, donde se dice que uno de cada cinco millonarios ha hecho su fortuna de este modo. Esta forma particular de vender es adecuada para alguien que quiera montarse un negocio sin tener que hacer un gran desembolso inicial, y una ocupación en la que puede decidir las horas de dedicación.

Funciona del siguiente modo: usted se convierte en miembro de una red de distribución de un determinado tipo de productos (detergentes concentrados, cosméticos, cremas para la piel, artículos de limpieza) que sus clientes van a comprarle de un modo habitual. Además de por la venta directa, consigue una bonificación por los productos que venda cada nuevo miembro que usted reclute para la red. Así, si es enérgico y tiene éxito, parte de sus beneficios derivan del trabajo que hacen otras personas.

Necesitará algún capital, pero sólo para comprar tantas existencias como pueda vender. Recuerde que la palabra clave es «vender». Así que si no le gustan las ventas —particularmente a amigos y vecinos—, no será feliz incorporándose a una organización en red.

Tom y Janetta se incorporaron a una red con vistas a obtener unos ingresos suplementarios con los que reforzar su negocio de jardín de infancia en la temporada baja. Les funciona a la perfección. También obtienen unos ingresos «bajo mano» de las ventas de personas que se incorporan a la organización a través de ellas. Les va tan bien que calculan que pueden vivir durante ocho meses exclusivamente de este trabajo.

Piénselo detenidamente antes de acometerlo por su propia cuenta. El trabajo en red no es un camino para «hacerse rico rápidamente». Tiene que asumir un serio compromiso, pues no se trata sólo de vender, sino también de distribuir los productos y organizar presentaciones. En el Ministerio de Comercio e Industria pueden ayudarle a distinguir entre las empresas dignas de confianza y las piratas. Pero, aparte de comprobar la fiabilidad de la empresa, debe asegurarse de que la demanda de sus productos va a tener cierta continuidad en su área de trabajo. Recuerde que, aun con las mejores intenciones del mundo, las empresas de venta en red pueden quebrar, así que escoja una de prestigio y preferiblemente que tenga unos buenos antecedentes.

Reuniones de venta

El Tupperware (un bote de plástico hermético) fue probablemente el primer producto que se vendió a través de reuniones en casas particulares. Hoy día puede comprar por este procedimiento artículos de joyería, ropa interior, productos para el hogar e incluso adminículos sexuales. Existen dos formas de actuar como organizador de reuniones: puede vender los productos con una comisión fija, por lo general sobre un 20 por ciento, o puede adquirirlos a la empresa concertada, añadirles su propio margen de beneficio y venderlos al precio que usted determine.

Después de conseguir el trabajo de organizador, recibirá un cursillo de formación antes de empezar a dar reuniones de venta en su domicilio. A partir de entonces se espera de usted que consiga reunir a varias personas ante las cuales presentará los productos. Está claro que una cierta habilidad para la venta y el trato con la gente son condiciones indispensables para este tipo de trabajo. También tendrá que tener un lugar en el que almacenar los productos.

June lleva ya varios años dirigiendo reuniones de venta en su casa. «Empecé vendiendo artículos de joyería, pero descubrí que era un poco lento excepto en épocas especiales como Navidad, así que ahora vendo camisones y ropa interior —dice—. Vivo en una gran urbanización y no tengo dificultades para encontrar clientas; mis amigas, en realidad, esperan impacientes las reuniones. Piensan que son algo muy divertido.» June afirma que de las reuniones saca dinero suficiente para realizar con su familia unas vacaciones de lujo cada año. Asimismo, afirma que si se dedicase más a ese trabajo podría conseguir unos ingresos regulares razonables.

Al organizar estas reuniones hay que tener en cuenta el gasto de las bebidas y aperitivos que se ofrecerán; además, antes de firmar nada debe comprobar que la empresa interesada no espera de usted que le compre ningún «material promocional», un truco utilizado por las empresas piratas para sacarles dinero a los incautos. No acepte ningún dinero de los clientes antes de haber recibido los productos y mantenga una cuenta bancaria separada para estas transacciones.

Encontrará las organizaciones que se dedican a este tipo

de venta preguntando a los amigos y fijándose en los pequeños anuncios de los periódicos. Si piensa en una marca determinada, búsquela en la guía telefónica. Empiece por asistir a una reunión en la que presenten el producto y considere lo que piensa de él antes de lanzarse a venderlo por su cuenta.

Ventas por teléfono

Este tipo de ventas, que es relativamente nuevo, es precisamente la clase de negocio que puede llevar desde casa. Las «llamadas en frío», tanto si se trata de vender cocinas equipadas o ventanas de doble vidrio, son sólo para intrépidos. Tiene que estar dispuesto a recibir negativas, de modo que no se arredre ante la adversidad. Usted sólo establece el contacto inicial; después ellos envían a un vendedor o vendedora.

Algunas empresas trabajan sobre la base de una comisión, mientras que otras pagan por llamada. Elíjalas con cuidado si no quiere encontrarse con una factura de teléfono que no puede pagar. Antes de comprometerse hable con alguien que ya esté haciendo ese trabajo para ellos.

SERVICIOS A DOMICILIO

Estudios de mercado

No todos los investigadores de mercado van por la calle parando a la gente para preguntarles si consumen margarina; hoy día, muchas de esas investigaciones se hacen por teléfono. Otro trabajo que se puede hacer es procesar los datos que las empresas reciben de la investigación. Para más información, consulte con una organización de investigadores de mercado.

Servicios de búsqueda

Esas viejas amigas, las Páginas Amarillas, quizá sean muy valiosas si anda buscando un determinado producto o servicio, aunque hay algunas cosas que necesitan un toque personal.

John, que había trabajado durante años en una librería, estaba desesperado cuando ésta cerró y se quedó sin trabajo. «Estaba buscando algo para ganar dinero cuando me di cuenta de que tenía la casa atestada de libros, la mayoría sobre música, muchos de los cuales no leía nunca. Decidí anunciar su venta en una revista especializada y encontré varios compradores inmediatamente.» El resultado fue excelente: le escribía gente pidiéndole que encontrase un libro determinado y otros le ofrecían libros de música para que los pusiera en venta. En resumen, se había hecho un hueco en el mercado.

«Ahora trato sobre todo con música y poesía —dice John—. Me ofrezco a encontrar libros de segunda mano para la gente. Gracias a los contactos que tenía a través de la librería, sé a quién dirigirme. Todo mi negocio lo hago a través del teléfono y el correo.»

Cualquier afición —coleccionar postales, monedas o sellos, por ejemplo— podría servir de base para un servicio de búsqueda. La remuneración está en relación con los resultados, pero si sabe exactamente dónde acudir para encontrar esas cosas, pronto será cualificado de especialista y sacará unos buenos ingresos de su trabajo.

Corrección de pruebas y confección de índices

Si es una persona meticulosa y tiene una mente ordenada, además de algún contacto con la industria editorial, ésta puede ser una buena forma de ganar dinero trabajando en casa.

Tanto los confeccionadores de índices como los correctores de pruebas cobran por trabajo más que por horas. Si es capaz de leer o indizar libros sobre temas técnicos, puede ganar algo más. Y para ahorrarse tiempo y el interminable trabajo de re-composición, es vital tener un ordenador.

En ambos casos el trabajo será como una carrera a contrarreloj, pues los índices se suelen hacer cuando el libro está prácticamente listo para imprimir. Dispóngase, por tanto, a trabajar como en el mecanografiado de manuscritos, hasta muy tarde y a veces con urgencia.

Alquilar cosas

Si tiene o puede conseguir ese tipo de cosas que la gente sólo utiliza de vez en cuando, puede obtener unos buenos ingresos alquilándolas. Puede alquilar todo tipo de objetos: maquinaria de jardinería, aparatos de bricolaje como sierras eléctricas y lijadoras, andamiajes en pequeña escala, bancos de trabajo. También puede alquilar bicicletas de montaña, motocicletas, triciclos y casas de muñecas.

Kathleen y John, que viven en Londres, han montado un negocio floreciente alquilando objetos como tronas, cunas y parques infantiles a gente que visita la ciudad con bebés y quieren equiparse sólo para unos días. «Descubrimos que a las tiendas de artículos infantiles acudía constantemente gente que quería alquilarlos —cuenta John—. Ellos no lo hacen, claro, pero ahora nos recomiendan si alguien les pregunta.»

Empezaron con muy poca cosa, comprando equipamiento en subastas y mercadillos e instalando en su garaje un taller de reparaciones. «También nos anunciamos en una revista para comprar lo que nos hacía falta —cuenta John—. La gente que estableció contacto con nosotros tenía tanto interés por desembarazarse de cosas como cochecitos, cunas y otros objetos que prácticamente estaba dispuesta a regalárnoslos.»

Un toque de pintura aquí y allá a los artículos recién adquiridos y se metieron en el negocio. «Lo pintábamos todo de un color distintivo y poníamos el nombre de nuestra empresa de alquiler en un lugar visible para desanimar a los ladrones», dice John. Ellos mismos entregaban y recogían los artículos en los hoteles o en los pisos alquilados de sus clientes. «Pedíamos el dinero del alquiler por adelantado —explica John—. Así si había algún problema ya teníamos un depósito.»

Si vive en una zona en la que el alquiler de artículos infantiles por un período breve no sería apropiado, puede alquilarla por un período largo: los padres irán devolviendo el equipamiento a medida que los hijos crecen. No obstante, esta modalidad requiere que la mayor parte de su capital esté inmovilizada en *stock*.

Alquiler de servicio de mesa

Jane, que se encontró de pronto sola en una casa enorme y bien equipada tras la muerte de su marido, descubrió que podía alquilar sus servicios de mesa, cristalería, cubertería y vajilla —reliquias todas de un cierto estilo de vida— a anfitrionas locales para sus fiestas. «Tuve que invertir en contenedores para empaquetarlo todo, pero aparte de esto, el negocio resultó rentable», explica. Empezó alquilando sus utensilios a amigos, pero el negocio corrió de boca en boca y fue creciendo. «En realidad ahora he tenido que comprar más cosas —cuenta Jane—. Acudo a subastas en busca de piezas poco usuales como soperas o cuencos, que por lo general consigo por poco dinero. No obstante, tiendo a adquirir objetos de servicio clásicos, de modo que me sea fácil reemplazar los que se rompen.» Recientemente ha añadido mantelerías a su lista de ofertas.

Alquiler de ropa

El alquiler de ropa para ocasiones especiales es otra posibilidad. Los vestidos de modista se pueden conseguir a precio de ganga en las tiendas de caridad, y si tiene buen gusto para la moda, puede valer la pena intentarlo. Marjorie tiene en su casa una tienda que se ha especializado en trajes de noche, la mayoría de ellos de modista. «Me llama todo tipo de gente

—cuenta Marjorie—. Y tendría que oír las historias que me cuentan. La mayoría son esposas que han de acudir a un acto especial con sus maridos y no están dispuestas a gastar mucho dinero en la compra de un vestido. Mis mayores gastos son la limpieza en seco —he llegado a un acuerdo con una tintorería— y los arreglos sobre la marcha.»

El alquiler de prendas deportivas que se usan ocasionalmente podría comportar unos buenos beneficios. Ropa de montar o equipo de esquiar, por ejemplo. También se podría especializar en vestidos de fiesta infantiles o en ropa para mujeres embarazadas.

Sombreros

Otra posibilidad sería el alquiler de sombreros: nadie desea gastarse una fortuna en un sombrero sólo para una ocasión. Por eso, si ya tiene unos cuantos, éstos pueden constituir el núcleo de una utilísima colección de alquiler para bodas, bautizos y fiestas al aire libre. Si es hábil con la aguja, la confección de sombreros es una artesanía fascinante que se puede aprender con facilidad a partir de los libros. Para el verano podría ofrecer algo realmente especial, como románticos sombreros de paja adornados con flores frescas, entregados el mismo día del evento.

Alquiler a domicilio

Si en su casa tiene algunos equipamientos para ponerse en forma, como un *jacuzzi,* una piscina climatizada, una cama solar, una bicicleta fija o un aparato de ejercicios, considere la posibilidad de tener clientes que quieran utilizarlos. Es de vital importancia contratar un seguro de responsabilidad pública para el caso de que alguien se queme la piel, se produzca una hernia levantando pesas o se golpee la cabeza con un borde de la piscina.

Susan se quedó con una sala llena de aparatos para ponerse en forma cuando su marido se marchó a vivir con otra mujer.

«Todo aquello pertenecía a Bob, pero no quiso llevárselo porque hacía demasiado bulto. Al principio pensé en venderlo —explica Susan—. Pero después un amigo me sugirió la idea de alquilarlo por horas. Ahora tengo en marcha un buen negocio y he hecho nuevos amigos entre los fanáticos de la salud que vienen a usarlos. De hecho, estoy pensando en ampliar el negocio comprando más aparatos.»

Si quiere montar un negocio de este tipo, ha de poner a disposición de sus clientes un cuarto de baño para que puedan ducharse. No olvide incluir el coste de la electricidad que gastan los aparatos, ni el coste del lavado de toallas.

Trabajar a destajo

Hacer en casa trabajos para otro empresario tiene fama de ser algo muy mal pagado. Por lo general, se trata de tareas no cualificadas, que pueden muy bien consistir en montar juguetes, ensamblar piezas de confección o, en todo caso, hacer algo más bien repetitivo, aburrido. No obstante, si encuentra la empresa adecuada, puede ser una fuente para conseguir nuevos ingresos.

Tenga cuidado, sin embargo, con las empresas piratas. No llegue a ningún tipo de acuerdo que implique un desembolso de dinero por adelantado de su parte. No se comprometa tampoco a nada que signifique que tiene que alquilarle, o incluso comprarle, equipo a su empresario, a no ser que esté seguro de que eso le va a ser rentable, y tenga cuidado de no encontrarse trabajando con cosas molestas o incluso peligrosas, como adhesivos que desprenden emanaciones nocivas. También puede encontrarse en el caso de tener que almacenar grandes cantidades de mercancías, algunas de ellas inflamables.

No obstante, si trabaja en casa, está cubierto por la normativa referente a Trabajadores Autónomos, de la que se desprende que su empresario no va a exponerle a usted a tales riesgos. Y si trabaja usted a tiempo completo durante varios años, es posible que tenga derecho a reclamar una indemnización si la empresa decide prescindir de sus servicios.

A los trabajadores domésticos se les paga, por lo general, por unidades o por las piezas producidas, más que por horas. Así que compruebe, antes que nada, cuántas unidades puede producir y, por tanto, a cuánto le sale la hora de trabajo. Probablemente el trabajo mejor pagado es el de maquinista especializado, para lo cual tiene que tener habilidades en costura: hacer ojales, montar cuellos o acabar adornos para la industria de la moda. En esto vale la pena utilizar el método de producción en cadena, pero evite las cosas futiles que necesiten cambiar constantemente de hilo, por ejemplo. La ropa infantil es más rentable que la de adulto debido a su pequeña talla. Tenga cuidado también con los costes añadidos de cosas como agujas, hilo o incluso gomas de pegar que tenga usted que comprar para determinado tipo de trabajos. Tenga en cuenta todo esto cuando decida si acepta o no esta clase de trabajos.

Servicio de lavandería

Hay muchas personas que detestan lavar, planchar y remendar, y con gusto pagarían a otro para que les hiciera estas faenas domésticas, si lo encontrasen. Un pequeño anuncio en el diario de su localidad debería de atraer clientes rápidamente. Si se ofrece para lavar ropa, no es necesario que tenga una enorme lavadora en seco; para ello puede recurrir a la lavandería local. Cobre el lavado al peso y el planchado por piezas, y compruebe los precios que tienen las lavanderías y tintorerías locales. Si puede, invierta en una plancha sin hilo, para que el trabajo sea más agradable. Puede ofrecer un servicio especializado en camisas para hombres; en tal caso, invierta en bolsas de celofán o de plástico transparente para embalar las camisas con un toque profesional.

Puede que los días en que se zurcían calcetines y medias se hayan acabado, pero, ¿por qué no ofrecer precisamente ese servicio… así como sustituir bolsillos de pantalón, arreglar descosidos, etc.?

Agencias

Para montar una agencia de servicios de cualquier tipo, en la que actuaría como intermediario, sólo necesita un teléfono. Val, por ejemplo, atravesó un período de mala suerte cuando la fábrica de su marido cerró y él fue despedido. «Yo sabía que lo que tenía que hacer era buscar un trabajo —dice—. Pero no tenía ninguna formación especializada: sólo había trabajado de dependienta en una tienda.» Y decidió hacer lo único que sabía hacer: realizar la limpieza doméstica. Para ello, publicó un anuncio en el periódico ofreciendo sus servicios.

«Me vi completamente abrumada por las demandas —explica Val—. Entonces mi marido me dijo: "Si hay tanta gente que está buscando sirvientas, ¿por qué no se las buscamos?"» Val interrogó a los amigos de la enorme zona residencial en que vivía y colocó carteles en los escaparates de las tiendas, y en muy poco tiempo reunió un equipo de mujeres dispuestas a ganar algo de dinero extra. El resultado es un floreciente negocio de limpieza doméstica.

Sheila, que intentaba compaginar un empleo a jornada completa con el cuidado de dos niños pequeños, tuvo que recurrir a canguros extranjeras para mantener la casa en marcha. «Muchas de ellas se convirtieron en grandes amigas —recuerda—. Brit, una muchacha sueca, volvió a visitarme dos años después, y nosotros fuimos a Estocolmo, donde nos albergó su familia.» Durante esas estancias, Sheila se encontró con que algunas amigas de Brit le preguntaban si podría encontrarles familias inglesas que les diesen trabajo. «A partir de ahí la cosa fue subiendo —explica Sheila—. Ahora llevo una importante agencia de canguros, especializada en chicas danesas y suecas. Y Brit, que está casada y tiene un hijo, es mi comisionista en Escandinavia.»

Existe un número enorme de ideas de agencia para aquel que quiera poner en contacto a un sector de gente con otro. Se tiene que tener «don de gentes», o sea, ser capaz de hablar con cualquiera, de hacer amigos con facilidad. ¿Por qué no montar, por ejemplo, una agencia de contactos amistosos para personas solitarias que deseen compañía para ir al teatro o al cine, o incluso de vacaciones? O incluso una agencia matrimonial.

El número de agencias que se pueden montar en casa es enorme, desde las de reparaciones domésticas hasta un servicio de taxi. Es mejor dedicarse a algo que se pueda organizar mediante el teléfono, más que tener que atender personalmente a la gente en casa.

CONVERTIR UNA AFICIÓN EN UN NEGOCIO

Cuadros y antigüedades

Aunque cuesta una fortuna abrir una tienda de antigüedades o una galería de arte, si éstas son sus aficiones favoritas, es absolutamente posible hacerlo desde su propia casa, que puede convertir en una galería o exposición de antigüedades, con ocasionales salidas a los mercados de arte. Una casa es un lugar perfecto para tener antigüedades y piezas ornamentales. En efecto, a menudo es mucho más fácil vender piezas de mobiliario o porcelana si están expuestas en el marco de una instalación doméstica similar a aquella en la que el comprador desea ponerlas. Es también un buen lugar para comerciar con sellos, postales, joyería de segunda mano y otros objetos pequeños. Cuando se jubilaron, Bill y Martha descubrieron que les sobraba todo el tiempo del mundo. Siempre se habían interesado por los objetos ornamentales y cuando murió la madre de Martha montaron un puesto en un mercado de anticuarios local que se celebra semanalmente en el ayuntamiento del pueblo, adonde acuden marchantes profesionales y aficionados. Allí vendieron una parte de la porcelana y ornamentos metálicos de su casa.

«Descubrimos que, en realidad, disfrutábamos vendiendo —explica Martha—. Por ello, que invertimos el dinero conseguido en comprar más cosas, y así empezamos el negocio.» Durante un tiempo siguieron en el circuito de los mercados de anticuarios, aunque después empezaron a especializarse en cerámica de Straffordshire y en porcelana brillante victoriana, mientras Bill aprendía a restaurar piezas de porcelana. Ahora, su afición se ha convertido en auténtica pasión.

«Al cabo de un tiempo estábamos hartos de tanto empaquetar y desempaquetar cosas tan frágiles, y de andar por ahí en coche —explica Martha—. Así que pensamos: ¿por qué no hacerlo en casa? Y eso es precisamente lo que hacemos ahora.» Descubrieron que eran capaces de exhibir sus preciosas piezas en un marco más familiar, y así podían pedir un precio más elevado por ellas. Los marchantes en seguida se enteraron de lo que estaban haciendo y no tardaron en llamar a su puerta. «Nos soprendió descubrir que al menos el 75 por ciento del negocio de antigüedades consiste en compra-ventas de un anticuario a otro», añade Bill. Ahora son tan conocidos que no necesitan propaganda, pero al principio tuvieron que anunciarse en el periódico local, poniendo en venta algún artículo especial y dando simplemente su número de teléfono.

Cuando hay que tratar con el público en casa, Bill y Martha tienen una norma: sólo aparece uno de los dos. «Pronto descubrimos que si dos parejas se ponen a hablar, la cosa se convierte en un evento social —explica Martha—. Empiezas a hablar de los restaurante locales, de lo deficiente que es el servicio de autobuses y de cosas así, y antes de que te des cuenta has perdido una hora en charlatanería. Una sola persona le da al asunto un aspecto más profesional.»

Una galería

Durante años, Charles había llevado una galería de pintura en Londres (se había especializado en pequeñas acuarelas de finales del siglo pasado), pero el alza de los alquileres y de las contribuciones, y un bajón de las ventas, le obligaron a cerrar el negocio. «En realidad cerré por cuestiones económicas —explica Charles—. Me subieron el alquiler y de pronto, los visitantes norteamericanos —mis mejores clientes— dejaron de comprar.»

Entonces lo vendió, se mudó a un caserón en un pueblo cercano a Strafford-upon-Avon y empezó a negociar en su casa. «Me quedé sorprendido de lo fácil que resultó —cuenta—. Los cuadros tenían un aspecto mucho más atractivo colgados en aquella casa y yo disfrutaba de aquella atmósfera más relajada y sociable. También pude ser más competitivo en los precios, puesto que no tenía tantos gastos generales.»

La esposa de Charles, buscando la ocasión de hacer negocio con la corriente constante de posibles compradores, algunos de los cuales necesitaban pernoctar, montó para ellos un servicio de alojamiento y desayuno. Asimismo, se ocupa de las ventas cuando Charles sale de viaje a comprar más cuadros.

«De hecho, actualmente figuramos extraoficialmente en el circuito turístico —dice Charles—. A los extranjeros, sobre todo, les gusta tener la oportunidad de estar en una casa inglesa de verdad; esto los coloca en una mejor posición para comprar.» Una lección que Charles y su mujer han aprendido con los años es que tienen que retirar de las paredes sus cuadros personales cuando esperan visitas. «De no ser así, puedes estar seguro de que si les has dicho que un cuadro no está en venta, ¡ése será el que realmente querrán!»

Si piensa hacer de marchante en su casa, debe tener una personalidad extrovertida, que le capacite para fomentar las ventas. «Al principio resulta difícil llamar a alguien y decirle que has conseguido un cuadro sorprendente y que es justamente lo que él desea —explica Charles—. Pero es lo que tienes que hacer para tener éxito. Si estás tratando con algo como las bellas artes, necesitas realmente haber tenido algún tipo de experiencia como galerista, aunque sólo haya sido como ayudante durante los fines de semana. De no ser así, la gente tiende a desconfiar de tus opiniones.»

Si trata con antigüedades u obras de arte en su casa, necesitará que ésta sea lo bastante grande para exhibir las piezas sin que el comprador tenga que echar ojeadas a lo que se está cociendo en la cocina. Incluso aunque los objetos estén en un ambiente doméstico, es mejor dedicar sólo una o dos salas a su exhibición al público. También tendrá que asegurarse de que sea un adulto quien descuelgue el teléfono, o de tener un contestador automático; una vocecita infantil diciendo «diga» estaría bien si vendiese juguetes de artesanía, pero le resultaría desconcertante a un posible comprador de cuadros o antigüedades.

Ni que decir tiene que, con objetos de valor en su casa, debe tener un seguro especial; asimismo, deberá instalar un sistema de alarma. Y sobre todo debe comportarse con discreción acerca de su actividad, de modo que no corra la voz entre la cofradía criminal de la vecindad.

Escritura creativa

Durante años, muchas personas que sabían que escribo se me acercaban para decirme: «Yo también voy a escribir un libro un día de estos, cuando tenga tiempo». Quizá se encuentre ahora en esta situación. No obstante, si espera obtener unos buenos ingresos de su recién elegida profesión de autor, me veo en la obligación de advertirle que se le presentan tiempos difíciles. Esto no quiere decir que no vaya a tener éxito, sino que tiene que persistir en el empeño.

Ficción

No corren buenos tiempos para los escritores de novelas. Los editores han recortado drásticamente el número de libros que publican y, en el caso de las obras de ficción, acuden cada vez más en busca de nombres consagrados. No obstante, si tiene en mente un libro de su propia cosecha, no deje de escribirlo, si es que está dispuesto a hacerlo tan sólo para su propia satisfacción.

Una vez escrita la novela, tiene que encontrar un agente literario. No la envíe directamente a un editor porque puede pasarse meses esperando una respuesta. Ellos otorgan preferencia a las obras que les envían los profesionales. Y por lo que se refiere a los agentes literarios, tendrá usted que persistir incluso para encontrar a alguno que esté dispuesto a leer su trabajo.

No se desespere por todo esto porque, si posee un auténtico talento, si lo que ha escrito resulta fresco, diferente y, sobre todo, permite una lectura compulsiva, es posible que lo consiga. Anímese: el libro *Chacal*, de Frederick Forsyth, fue rechazado de inmediato por numerosos editores antes de conseguir un contrato de publicación. Ésta es una empresa arriesgada. Rosemary, escritora de libros muy vendidos, con 32 obras publicadas en su haber, dice al respecto: «Cada vez que elaboro el manuscrito de un nuevo libro me lo tomo absolutamente en serio. Si quieres seguir publicando, no puedes dormirte sobre los laureles de éxitos pasados».

La novela romántica es un terreno algo distinto. Los editores británicos Mills & Boon, por ejemplo, se dedican activamente a animar la aparición de nuevos talentos, y no es necesario enviarles los trabajos por mediación de un agente literario. Si le llama la atención el tipo de novela que publica una editorial, sumérjase en sus libros hasta que note que sintoniza con lo que ellos quieren, anote cuidadosamente la longitud de sus obras y póngase a escribir. Escriba siempre su manuscrito a doble espacio y por una sola cara del papel, dejando de dos a tres centímetros de margen por los lados, y numere correlativamente las páginas. Quédese siempre con una copia (por si acaso el original se pierde al enviarlo) e incluya en su envío un sobre del tamaño adecuado, y franqueado, para su posible retorno. Hoy día muchos editores prefieren recibir una sinopsis mecanografiada y sólo uno o dos capítulos. Si despierta su interés le pedirán que envíe el resto del manuscrito. Si no, al menos se habrá ahorrado parte del franqueo y la impresión de toda la obra. A los escritores noveles que tratan de interesar a un agente les suele beneficiar la adopción de la llamada técnica de sumisión. Incluya una breve carta de presentación y si ha tenido alguna experiencia editorial anterior —por ejemplo, la publicación de relatos breves en el periódico local—, no deje de mencionarlo. Eso demuestra entusiasmo y la probabilidad de que no sea tan sólo un principiante, sino un autor fuera de serie; depende sólo de que le den un empujoncito.

Literatura infantil

Hoy día, el de la literatura infantil es un mercado saturado. No crea que porque su familia disfruta con sus cuentos estos van a interesar a gente totalmente extraña. Como editor, estoy recibiendo constantemente manuscritos de verdaderos aficionados, originales de libros para niños que, según me aseguran sus autores, han gustado mucho a sus familias.

Si tiene algo absolutamente nuevo que decir a los niños —algo así como un libro con nuevos ritmos para guarderías, o relatos cantados—, entonces inténtelo por todos los medios. ¿Quién podía pensar, al principio, que los relatos de Roald Dahl tendrían un éxito de ventas tan asombroso? Si cuenta usted con alguien realmente bueno para ilustrar sus historias, mucho mejor. Los libros infantiles son hoy día muy «visuales». De hecho muchos ilustradores de libros infantiles escriben el texto que ha de acompañar a sus ilustraciones.

Colaboraciones periodísticas

Muchas personas han iniciado de esta manera su carrera como escritores. Pero a medida que los periódicos y revistas se van haciendo cada vez más sofisticados en sus requerimientos, sus niveles de exigencia dificultan notablemente la entrada de principiantes. Es posible que no llegue muy lejos si envía al periódico local un informe sobre una exposición floral en su vecindad; es probable que ellos hayan enviado allí a su propio reportero. Si no es así, esperan recibir informes como el suyo sin tener que pagarlos. Han pasado ya los tiempos en que se podía enviar un artículo complaciente para su publicación en la prensa local. Por muchas razones, si tiene una buena historia que contar, es mucho mejor dirigirse directamente a los periódicos nacionales.

En un momento dado, yo gané dinero escribiendo artículos para el periódico *The Sun* . Era un trabajo bien pagado, y durante un tiempo desarrollé la dura costra que se necesita para llevarlo a cabo. Uno de mis encargos más dificultosos fue una entrevista con una monja… El problema es que olvidó que aquella entrevista era para un periódico y fue tan sincera al hablarme sobre sus sentimientos que obtuve una historia realmente extraordinaria. Pero yo sabía que si publicaba todo lo que me había contado la colocaría en una situación insostenible. Así que tuve el buen sentido de censurar la historia antes de entregarla. Conforme los periódicos van derivando cada vez más hacia el interés humano (y la televisión siempre les irá a la zaga en lo que a historias duras se refiere), va quedando hueco para reportajes bien escritos sobre temas como el siguiente: «¿Le daría usted la espalda si descubriera que tiene un "asuntillo"?», a condición de que lo entreteja con entrevistas a personas reales que hayan pasado por este tipo de situaciones. Sonsaque a sus amigos, pero cámbieles los nombres y lugares de residencia, por supuesto, y pídales permiso. Muchas revistas femeninas están hambrientas de material de este tipo.

El mercado
Estudie el mercado para no malgastar tiempo y dinero enviando artículos al lugar erróneo. Durante los años en que fui

redactora de una revista, me llegaban constantemente trabajos sobre temas que no guardaban absolutamente ninguna relación con lo que nosotros publicábamos. Tome nota de la ex-
tensión media de los reportajes y compruebe si en la revista
alguien lee sus trabajos. Algunas publicaciones —como *Cos-
mopolitan*, por ejemplo— advierten en sus páginas de suma-
rio que no considerarán los trabajos no solicitados.

Los periodistas son personas muy atareadas, atrapadas por
los plazos de cierre, y ningún redactor se va a molestar en recortar su original si es demasiado largo, o en pedirle que le envíe doscientas palabras más, por muy bien escrito que esté. Y
no trate de venderle carbón a un asturiano: las revistas de
moda no aceptarán un artículo sobre las últimas creaciones;
quizá prefieran una entrevista en profundidad con un joven
diseñador novel. Las revistas de jardinería no aceptarán escritos sobre jardinería en general; para eso ya tienen sus propios redactores y sus colaboradores habituales. No obstante,
si tiene un conocimiento realmente especializado sobre determinadas plantas o sobre la jardinería americana y puede proporcionar unas buenas diapositivas, quizá esté en el camino
adecuado.

Libros de viajes

La literatura viajera suena muy seductora: elige el lugar al que
desea ir, consigue un billete de avión gratis y encima le pagan
por escribir sobre su experiencia. En ciertos tiempos, esta te-
oría pudo haber sido cierta y, en efecto, a mí la literatura viajera me llevó a dar dos veces la vuelta al mundo. Aunque por
entonces yo estaba ligada a una revista (casi todas las publicaciones tienen su propio escritor viajero) y la marcha de la economía lo ha cambiado todo. Las líneas aéreas se resisten a regalar billetes gratuitos a los aspirantes a escritores, incluso en
el caso de que lleve una carta de su editor en la que se le en-
carga el artículo, y los hoteles tampoco le darán gratis el alojamiento. No obstante, si va a hacer un viaje realmente insó-

lito, si va a acudir a un festival del que nunca ha oído hablar nadie —pongamos, por ejemplo, una boda en el Sahara—, entonces inténtelo con publicaciones que dediquen mucho espacio a temas sobre viajes, con la esperanza de que lleguen a considerar su informe cuando regrese.

Fotografía

Si es hábil como fotógrafo aficionado y se especializa en algo así como retratos de niños o de animales, tiene una buena oportunidad para ganar dinero, puesto que las grandes empresas se dedican a acontecimientos como bodas y no están dispuestas a llevar sus energías por otras direcciones. Las fotografías de casas y jardines particulares son otra área poco explorada.

También podría especializarse en otras direcciones: fotografiar el trabajo de un artista, por ejemplo, el de un tapicero o el de una bordadora. Incluso puede llevar más allá su servicio y ofrecerles sus fotografías en forma de tarjetas postales. Hoy día existen muchas empresas que le harían la impresión.

Si tiene la suerte de vivir en una zona de belleza natural reconocida o de interés turístico y puede tomar fotos insólitas e interesantes, considere la posibilidad de crear su propia línea de tarjetas postales para venderlas en las tiendas locales. También podría intentar cubrir acontecimientos populares como gimkanas, exposiciones florales, competiciones deportivas o grandes fiestas. Podría, por ejemplo, acercarse al satisfecho vencedor de un concurso local y ofrecerse a hacerle un retrato con el trofeo. Una buena derivación consistiría en ofrecer sus fotos a periódicos y revistas locales y comarcales.

Resulta difícil penetrar en el mercado de las bodas, pues está copado por empresas capaces de elaborar todo un álbum de fotos antes de que termine el banquete nupcial. No obstante, puede resultar útil escrutar la prensa local en busca de listas de compromisos, bautizos y bodas de plata para ofrecerles sus servicios a los celebrantes. Vaya preparado para mostrar algunos ejemplos de trabajos que haya hecho anteriormente.

El estudio

Para tener éxito como fotógrafo es probable que necesite un estudio, lo que implica adquirir un buen equipo de iluminación, tener un cuarto oscuro y disponer de un buen laboratorio procesador de color (los mejores le harán el revelado en menos de dos horas). Provéase de película, papel de copias y líquidos en un mayorista. Ya que ha invertido dinero en un estudio y un cuarto oscuro, considere como un beneficio adicional la posibilidad de alquilarlos a aficionados entusiastas.

Cámaras

Al cabo de un tiempo seguramente descubrirá que necesita más de una cámara, y también es probable que decida, como lo hacen muchos fotógrafos profesionales, que una Polaroid es útil si quiere mostrar al instante a sus clientes el tipo de fotografía que van a obtener. Presente sus trabajos de modo atractivo —las revistas especializadas están plagadas de anuncios en los que se ofrecen tarjetas y monturas— y asegúrese de que adquiere sus películas al por mayor para ahorrarse dinero.

Un archivo fotográfico

Si con los años ha reunido una amplia colección de diapositivas en color sobre un tema determinado, otra posibilidad sería montar su propio archivo fotográfico. Los editores, tanto de libros como de revistas, están siempre buscando fotos insólitas de temas especializados —quizá de una determinada comarca, o de jardines, flores silvestres o animales— y pueden pagarle precios muy altos por el derecho a reproducirlas. Hágase un catálogo de lo que puede ofrecer y escriba a potenciales clientes en el mundo editorial. Tendrá que hacer duplicados de sus transparencias, de modo que conserve siempre el original. Y realice sus envíos en sobres protectores transparentes para evitar posibles daños. Encájelos entre dos cartones protectores y envíelos por correo certificado. También debería contratar un seguro contra posibles pérdidas. Para averiguar cuáles pueden ser sus tarifas dentro de un margen razonable, consulte con una o dos agencias fotográficas como cliente potencial.

OTRAS AFICIONES QUE PUEDEN SER PROVECHOSAS

Si su pasión es la **Astrología**, podría obtener unos buenos ingresos haciendo cartas astrales. El único equipamiento que necesita es un almanaque astrológico de efemérides, que explica dónde están los planetas a determinadas horas del día y a través de los años, y cartas astrales en blanco para situar en ellas los detalles estelares de cada persona. Podría enviar las cartas por correo a sus clientes o quedar con ellos para una visita personal.

La **Grafología**, el **Tarot** y el **I Ching** son otras posibilidades que se pueden estudiar. También hay mucha gente que se interesa por los **Biorritmos**. Los correspondientes manuales de referencia, completados con cartas para trabajar con ellas, se venden en las tiendas especializadas en «magia» y en algunas librerías.

Antes de nada, anuncie todos estos servicios en su periódico local. Después piense en ir colocando pequeños anuncios en revistas especializadas. No obstante, si lo hace bien, su fama se difundirá rápidamente de boca en boca.

CAPÍTULO 5

Artes y artesanías

Trabajar manualmente en casa, ya sea en labores de costura, candelería o artículos decorativos, no plantea ningún problema de planificación. Es libre de hacerlo como quiera, a condición de que la actividad elegida no moleste a sus vecinos; un taller de soldadura, por ejemplo, puede ser muy ruidoso. Pero se va a encontrar con mucha competencia, pues todo aquel que tiene capacidad creativa sueña con producir objetos hermosos y venderlos; y es el factor ventas el que cuenta.

Si es dinero lo que busca, quizá tenga que sacrificar su buen gusto. Pero si sólo espera una eventual aceptación y no está dispuesto a sacrificar sus principios, entonces láncese con sus propios diseños.

También podría ocurrir que sólo fuera necesario un leve cambio para conseguir que sus productos se vendan. Un caso particular en este sentido es el de mi amiga Marie, tejedora apasionada, que fabrica maravillosas piezas de tela estampada. Desgraciadamente, una vez tejidas no sabe qué hacer con ellas y las convierte en unos jerseys deformes y holgados que nadie desea comprar. Si en vez de eso se decidiese a hacer alfombras, tapices o colchas, probablemente descubriría que tiene todo un mercado a su disposición.

Hay muchas técnicas que se pueden aprender. Recuerde que es el talento individual y las ideas lo que hace que su producto sea diferente de todos los demás y, por tanto, más deseable.

ARTESANÍA DECORATIVA

Cestería y mimbre

En el Lejano Oriente tienen bien cubierta esta faceta de la artesanía e inundan el mercado con cestos baratos y sillas de mimbre a precios inferiores a los de cualquier cosa que pudiera usted proporcionar. Así que, si es esto lo que le interesa, tiene que fabricar cestos de mejor calidad utilizando los tradicionales juncos, mimbres o cañas, y buscando, sobre todo en revistas europeas, ideas y formas insólitas. En la actualidad, en Francia están haciendo furor unos cestitos elaborados a base de varillas y decorados con flores secas, por los que se están pidiendo unas cantidades de dinero muy elevadas.

Reponer asientos de mimbre es una habilidad que vale la pena aprender, pues ya hace tiempo que pasaron a la historia los días en que los artesanos especializados llamaban a la puerta ofreciendo este servicio, y mucha gente no sabe dónde pueden hacerle estos trabajos. Ahí es donde entra usted en juego. Trabajar el mimbre no es algo tan dificultoso como parece. De hecho, es una artesanía que se puede aprender con cierta facilidad a través de libros y asistiendo a algún curso. Una vez que domine el oficio, puede salir en busca de sillas que necesiten ser reparadas, comprarlas a bajo precio, renovarlas y volverlas a vender. El cáñamo de buena calidad se puede adquirir en tiendas de artesanía o por correo a través de los anuncios publicados en revistas especializadas en artes manuales. Si tiene mucho trabajo, entonces compre suministros al por mayor.

Découpage

La artesanía victoriana del *découpage* está muy de moda hoy día y es muy fácil de aprender. Esencialmente consiste en recortar fotografías de las revistas, o comprar unas hojas hechas expresamente, y pegarlas sobre objetos de madera, vidrio o metal, es decir, cualquier superficie que permita el engomado. Existen muchos cursos para aprender esta técnica, aunque es extremadamente fácil. El arte en el *découpage* está en lo que pueda hacer con la superficie del papel. Mediante un lijado suave de las aristas y arrugas del papel y aplicando docenas de capas de barniz transparente —a veces dándole un toque antiguo mediante la aplicación de un acabado agrietado y después una sombra de laca oscura— puede conseguir preciosas pitilleras, joyeros y todo tipo de pequeños objetos. O incluso cubrir toda una superficie como, por ejemplo, la de una mesa.

En tiendas de artesanía y revistas especializadas encontrará las formas básicas, y en las empresas de venta por correo podrá aprovisionarse de las hojas llamadas «scraps» con recortes victorianos o modernos. Las hay de todo tipo de temas, desde motivos florales, animales o pájaros, hasta niños, ropa de moda, coches y casas de campo. De momento, practique hojeando todas las revistas que tenga a mano y recortando lo que pueda valer la pena, y si tiene la oportunidad de ir a Londres visite el Victoria and Albert Museum, donde podrá ver los mejores ejemplos de este tipo de artesanía.

Venda sus piezas en las tiendas locales de decoración y en las ferias de artesanos. Si consigue tener una gran colección y un nombre reconocido, la gente acudirá a visitarle.

Papel maché

Considerado como artesanía, el papel maché puede ser la base de un negocio. Las materias primas son virtualmente gratuitas —pues lo que se usa es papel desechable— y la mayor parte de elementos que necesitará los puede encontrar por casa. Es muy fácil de aprender y tiene muchas aplicaciones. Normalmente pensamos en él cuando hablamos de cuencos y otros pequeños objetos decorativos, pero en otros tiempos se utilizó incluso para fabricar mobiliario.

Hay dos maneras de trabajar con el papel maché: puede ir colocando capas de papel empastado sobre un molde o puede amasar el papel remojado con goma y esculpirlo. En cualquier caso, la lista de objetos que puede hacer con él es interminable. Además de placas, cajas, marcos para cuadros o espejos, también puede esculpir imaginativa bisutería, sobre todo pendientes y pulseras, con piedras incrustadas o dorándolo para conseguir aún más efecto. Y puede hacer soberbios juguetes como muñecas articuladas de estilo victoriano. También puede aplicarlo sobre un armazón de hierro para conseguir piezas de mayor tamaño.

Puede hacer que un objeto sea aún más duro aplicándole barniz acrílico o mezclándolo con el agua en que se remoja el papel. Y acelerará el proceso de secado pasando las piezas por el horno microondas e incluso puede conseguir papel maché resistente al agua pintándolo con un recubrimiento de aceite de linaza y horneándolo a fuego lento. Una vez secas, las piezas se pueden pintar como si estuvieran hechas de madera. Las puede vender en tiendas locales y en ferias de artesanía.

ARTESANÍA TEXTIL

Tejer

También en esta área da la impresión de que hay más productores de artículos tejidos que compradores. Aunque este hecho no debe desanimar al tejedor realmente dedicado. No obstante, si intenta vender su trabajo, es posible que tenga que cambiar el telar que posee actualmente por uno más grande y versátil, ya que la mayoría de los telares de sobremesa sólo pueden producir tejidos de poca anchura.

Una hermosa pieza de tejido hecho a mano puede servir para un buen número de cosas; un cobertor, por ejemplo, que se puede utilizar indistintamente como manta de viaje, como

112

chal o desplegado para cubrir un sofá. Se pueden hacer piezas para ser usadas como tabardo o como poncho. También se pueden hacer colchas para cochecitos, cunas y camas infantiles. Asimismo, si son particularmente decorativas, pueden ser excelentes piezas de tapicería para colgar.

Tejer alfombras

Gwen decidió convertir su pasión por tejer en una forma de obtener ingresos, aunque al principio tuvo que invertir su dinero en un gran telar de segunda mano. Pasó de hacer tejidos finos, como bufandas y tapetes, a tejer alfombras, con lo que en seguida se hizo un hueco en el mercado. «Elegí colores brillantes de estilo mexicano, rojos primarios, azules y amarillos, y descubrí que a la gente le gustaba comprarlas para ponerlas en el cuarto de juego de los niños o en el comedor —explica Gwen—. Después comencé a tejer alfombras en colores que hacían juego con las cocinas y otras salas de trabajo de mis clientes. Incluso llegué a tejer una alfombra para una clienta utilizando recortes de tapicería de muebles y de las cortinas de su sala de estar de estilo campestre. El resultado, colocado sobre un suelo de pino pulido, fue tan bueno que incluso apareció en una revista de decoración.»

Mercados

Descubrir una oportunidad como ésta puede marcar la diferencia, desde el punto de vista de las ventas, en el atestado mercado de la artesanía. Si tiene la posibilidad de asociarse con alguna modista, podría ofrecer a sus clientas coloridas bufandas, estolas y jerseys a conjunto con los vestidos que ella hiciera. Los resultados obtenidos serían realmente únicos. Del mismo modo, podría ofrecer sus servicios a un interiorista local, y hacer alfombras y tapices completamente individualizados y exclusivos. Dése a conocer no sólo exhibiendo sus productos en mercados de artesanía, sino llevándolos a tiendas de decoración; éstas andan siempre en busca de algo distinto que ofrecer a sus clientes. Si ya tejía, no es necesario que le diga que necesita una habitación para realizar su trabajo. Tejer no es sólo una afición, sino un modo de ganarse la vida.

Centones y encajes de aplicación

En los últimos años se ha producido una especie de fiebre por este tipo determinado de artesanía textil, y cada vez más gente se dedica a vivir de ella. Básicamente, hoy día se dividen en dos grupos: el tradicional y el moderno. Existe un grupo que busca nuevas formas de utilizar los trozos de tejido, y no sólo para hacer colchas y edredones, sino para combinarlos con encajes de aplicación y acolchados para crear decorativos recubrimientos murales y tapices equiparables a los cuadros.

Lo tradicional...
Con el centón tradicional —básicamente a base de rombos y hexágonos— se consiguen preciosas colchas de estilo campestre que todavía se siguen vendiendo muy bien. Sin embargo, en los últimos años la mayor producción de este tipo de colchas ha tenido lugar en la India y Extremo Oriente, donde la mano de obra es mucho más barata. Y si finalmente se hace un hueco en este mercado, tendrá problemas para poner un precio competitivo que refleje todo el tiempo que ha dedicado.

Pero existen trucos, claro. Sólo si realiza diseños más insólitos —tipo cabaña de troncos, por ejemplo, o bloques en espiral—, que no son fáciles de conseguir con métodos de producción masiva, entonces podrá equiparar el precio al esfuerzo. También podría especializarse en pedidos de colchas personalizadas: una cubierta con aplicaciones de flores y animales para un recién nacido, por ejemplo, un cobertor en ABC para un niño que empieza a caminar, o una colcha con reminiscencias románticas para una novia.

La del centón es una artesanía fácil de aprender a partir de libros. Puede encontrar interesantes manuales en las ferias de artesanía. Muchas tiendas venden actualmente lo que se conoce como «telas de artesanía» norteamericanas, tejidos con estampados minúsculos que son particularmente idóneos para la confección de colchas. Las tiendas de artesanía y los departamentos de mercería de los grandes almacenes le venderán los patrones que necesita para sus diseños. Las herramientas que va a usar son pocas; ni siquiera ha de tener una máquina de coser, pues las mejores colchas son siempre las hechas a mano. Deambule en busca de ventas por liquidación, escarbe en los montones de ropa de segunda mano y revuelva en los mercadillos, una fuente ideal de trapos viejos que le darán a su trabajo el aspecto de una antigüedad. Almacene sus tejidos por grupos de color en estantes, de modo que pueda localizarlos de un vistazo. Trate de mezclar centones y encajes de aplicación, recortando motivos y encolándolos para coserlos después en el lugar adecuado.

... y lo moderno

Si, por otra parte, se dedica a realizar tapices decorativos modernos con centones y encajes de aplicación, más que a hacer cubrecamas y cojines, se coloca en el mismo lindero que un pintor profesional. Está produciendo un artículo que es en sí mismo una obra de arte. Y que el público lo compre o no depende del gusto del público, y del suyo. Trate de exponer sus trabajos en una galería local, en tiendas de decoración y en las ferias de artesanía.

ESTAMPAR Y TEÑIR

El batik

Aunque hay mucha gente que se gana la vida con esta fascinante artesanía basada en un trabajo con tejido, cera caliente y tintes de colores, esta técnica le proporciona inagotables oportunidades de elaborar piezas realmente originales, desde pañuelos de seda de maravilloso colorido hasta cuadros y tapices. Si planifica una línea de producción, acuérdese de conservar una ficha de cada pieza, anotando meticulosamente los tintes que ha utilizado, la procedencia del tejido básico y su color inicial. Las obras de batik se pueden vender en tiendas de artesanía, directamente al público en ferias o, en el caso de pañuelos, en las boutiques de moda. Muchas librerías y bibliotecas que tengan una sección de artesanía le podrán recomendar uno o dos buenos libros sobre el tema.

Serigrafía

La serigrafía es, básicamente, una forma de estarcido en la que la tinta o tinte pasa a través de una delgada pantalla hecha, por lo general, de malla de nailon. Es una manualidad que se puede aprender fácilmente después de unos cursos. Y si disfruta trabajando en este campo, puede llegar a producir cualquier cosa a base de modelos, desde camisetas hasta finos pañuelos de seda, pasando por mantelerías y cojines. Si es aún más ambicioso, puede incluso estampar tejido por metros. También puede hacerlo sobre papel para elaborar tarjetas de felicitación, grabados en edición limitada o pantallas para lámparas.

La posibilidad de vender lo que fabrique dependerá de su talento artístico para combinar formas y colores. Una cosa es cierta: necesitará un taller aislado con espacio para guardar pantallas, gomas y tintes. Como sucede con las otras artesanías, su mejor apuesta está en las tiendas locales especializadas, ferias de artesanía y, eventualmente, en los clientes particulares que compran por correo.

Estampado

Con un gran apogeo a finales de los sesenta y principios de los setenta, en la actualidad el estampado manual se está poniendo nuevamente de moda. Como el batik, es un proceso de teñido resistente, en el que se anudan, se pliegan o se cosen diferentes partes de una pieza de tela de tal modo que al sumergirlas en un baño de tinte el color no pasa de unas a otras. Esto se puede hacer no sólo una, sino varias veces, de modo que los colores se superpongan; se crearán así diseños realmente sofisticados. Para variar el modelo se pueden utilizar cuerdas y piedras, botones y toda clase de objetos.

Con este tipo de artesanía puede elaborar decorativos tapices o fundas de cojín, o bien prendas más sencillas como camisetas, túnicas, camisas o vestidos de algodón liso, que se pueden vender muy bien en boutiques, sobre todo como ropa deportiva. Otra posibilidad es hacer cortinas utilizando modelos de estampado; elabore unas muestras para enseñar a los posibles clientes lo que es capaz de hacer. La técnica del estampado se puede aprender fácilmente a partir de manuales apropiados, que puede encontrar en cualquier biblioteca.

Seda decorada

Las tintas y tintes para tejido son hoy día algo tan sofisticado que decorar la seda se ha convertido en un verdadero arte. Puede usar seda virgen, todavía sin blanquear, o seda teñida de un color previamente elegido, para después tensarla y pintar sobre ella. Si tiene un verdadero talento artístico y le gusta el trabajo textil, los pañuelos de seda decorada le pueden reportar pingües beneficios. Hay muchos cursos y libros sobre el tema.

HILO Y AGUJA

Si le gusta la costura, las oportunidades de demostrar su talento son infinitas; lo más importante es elegir el mercado menos explotado.

117

Corte y confección

Cuado yo era pequeña acudía con cierta regularidad a casa de la modista, donde se esperaba de mí que me estuviera quieta durante lo que me parecía una eternidad, mientras ella rondaba a mi alrededor con la boca llena de alfileres. Pero las cosas han cambiado; pocas personas llevan ropa hecha a medida, a menos que sean lo bastanre ricos para poder permitírselo. El tipo de personas que acuden hoy día a la modista son aquellas que, por una razón u otra, no encajan en los criterios de las tallas estandarizadas de las que se surte la ropa de confección. Puede que sean extraordinariamente bajas, o altas o, lo más probable, algo anchas de talle e incapaces de encontrar ropa atractiva que les quede bien.

Patrones

A estas personas les agradará oír hablar de sus servicios, por supuesto, pero eso no significa que estén dispuestas a aceptar algo que no tenga un acabado de primera, algo más que simples prendas de confección. Ésta podría ser, pues, su línea. El corte de patrones es una habilidad que toda modista inteligente debería aprender si es que no lo conoce ya. Existen muchos libros sobre el tema. Pida ayuda en su biblioteca. Yo aprendí a cortar y a superponer patrones con ayuda de un simple manual, y en seguida me vi con ánimo de hacerlo con la ropa de trabajo de mis propios hijos.

Instrumentos que necesita

Supongo que ya tiene una buena plancha de vapor y una máquina de coser eléctrica moderna. Tiene que tener una aguja oscilante, de modo que pueda coser bordes delgados en zigzag. En realidad, si va a dedicarse a la confección de una manera profesional, seguramente merece la pena que se compre una máquina overlock. Caroline, una entusiasta costurera, fue despedida de su empleo como administrativa. Entonces decidió invertir parte de su indemnización en una overlock, ya que pensaba hacer de la costura su nueva carrera. La nueva máquina, que encontró de segunda mano a un precio bastante razonable, le ahorra mucho tiempo.

La mayoría de los clientes, por lo que descubrió Caroline, acuden con sólo una idea vaga de lo que quieren. Así que ha pedido en una tienda de tejidos viejos catálogos de patrones entre los que puedan elegir y, eventualmente, anuncia sus servicios en esa misma tienda.

Una de las tareas mas difíciles con las que ha de enfrentarse una modista es la de persuadir amablemente a la clienta de que tiene la peor forma y edad para, por ejemplo, lucir un modelito de Madonna. Su mensaje será más convincente si la tela está envolviendo un maniquí.

Costes

Como la mayoría de las modistas, Caroline cobra por horas; el coste de los arreglos se adecua al que establece cualquier tienda. De vez en cuando hace algún vestido sobre presupuesto, especialmente cuando se trata de una pieza muy elaborada, aunque ella prefiere trabajar sobre una base horaria. Las pruebas las hace en su dormitorio, que es acogedor y tiene un espejo de cuerpo entero, y trata de recibir a sus clientas sólo durante el día, cuando tiene a la familia fuera de casa, para evitar situaciones embarazosas como la que se produciría si su marido entrase de sopetón en el dormitorio y se encontrase con una señora en paños menores.

Novias

«Los trajes de novia son los más difíciles de hacer —afirma Caroline—. La madre tiende a inmiscuirse y la mayor parte de las veces ella y la futura esposa acuden con una tela cara que es absolutamente inadecuada para el modelo que se ha elegido, y hay que convencerlas amablemente para que desechen la idea. Es un trabajo duro, aunque a menudo consigo que me inviten a la boda y eso me proporciona la excitante ocasión de ver mis vestidos en la pasarela.» Sin embargo, no hay duda de que éste es uno de los aspectos más lucrativos de la costura, sobre todo si también le encargan los vestidos de las damas de honor.

Existen muchas especializaciones en el campo de la costura. Podría darse a conocer, por ejemplo, por sus vestidos de fiesta infantiles o por sus imaginativas prendas de disfraz. También podría tener una especial predisposición para la ropa de personas mayores o muy gruesas, a las que resulta extremadamente embarazoso acudir a comprarla a una tienda. Gran parte de su éxito, aparte de su habilidad con la aguja, dependerá de su capacidad para relacionarse con sus clientes. Ellos necesitan confiar en usted y a usted, por su parte, le ha de gustar el trato con la gente.

Arreglos

En el extremo opuesto de la escala, hacer arreglos puede ser una buena fuente de ingresos. Tiene que tener, sin embargo, plena confianza en lo que hace antes de decidirse a recortar un dobladillo o acortar una manga. Actualmente, son pocas las tiendas que ofrecen el servicio de arreglos, y si lo hacen, resulta caro y lento. Si le llama la atención este tipo de trabajo, vale la pena que se ponga en contacto con algunas boutiques para pedirles que le pasen clientes. Cambiar una cremallera o un bolsillo de un pantalón, o renovar los forros puede ser un trabajo más bien aburrido. El mejor lugar para anunciarse es en una tintorería. Si no tienen a mano a nadie que haga este trabajo, es probable que se alegren de tener noticias de usted.

Sombrerería

La confección de sombreros es una habilidad relativamente fácil de aprender una vez dominadas las técnicas de conformar al vapor los capuchones de fieltro. Una vez adquiridos los conocimientos básicos, puede elaborar grandes y hermosos sombreros para ocasiones especiales, que puede vender directamente al público o a través de algunas boutiques.

Susanna fabrica sus sombreros en un cobertizo anexo a su casa de campo en Oxfordshire y los distribuye por todo el mundo. Trabaja sobre todo con paja, organzas y sedas. Hizo su primer sombrero cuando tenía seis años y nunca ha tenido la menor duda sobre a qué quería dedicarse. Ahora tiene un equipo de trabajadores que le hacen las costuras manuales y los acabados, mientras ella se dedica a diseñar sombreros que se venden desde Nueva York hasta Sidney. Prefiere trabajar en casa: «Por mi trabajo podría muy bien vivir en Londres, pero no me gusta el ambiente enrarecido de la moda». Utiliza pajas y fieltros que obtiene con facilidad de proveedores especializados.

Acolchados

Las prendas acolchadas se han puesto repentinamente muy de moda, tanto si se trata de ropa blanca como de enaguas acolchadas al estilo provenzal, o de grandes y hermosas colchas para una cama.

Si domina esta técnica, podrá realizar exquisitos cojines y cobertores, trabajos muy solicitados. Por otra parte, considere la posibilidad de ofrecer a sus clientes cojines acolchados a juego con sus cobertores o cortinajes, lo que se consigue sencillamente dando la vuelta a la tela y bataneando y haciendo correr la máquina de coser en torno a las formas floreadas o de otros grandes motivos del estampado. Ofrézcase también para hacer colchas aterciopeladas del mismo modo para dar al dormitorio un aspecto conjuntado.

Trapunto

Es una antigua manera de acolchar en la que se introduce pana o algodón entre líneas de costura para darle al tejido un efecto de realce. Esta costura de lujoso aspecto tiene muchas aplicaciones: desde modelos tridimensionales de chaquetas de seda hasta el ribete de una falda para reseguir la figura de la cara de una muñeca. La técnica del trapunto se puede aprender en un buen libro de bordado.

Cortinajes

No tiene más que darse una vuelta por la sección de tapicería de unos grandes almacenes para darse cuenta de que en un momento u otro hay mucha gente que cambia sus cortinajes, una lucrativa fuente de ingresos potenciales para cualquiera que se dedique a su fabricación.

Si sabe coser, es fácil aprender a hacer cortinas y cobertores. Los intríngulis del plisado superior, el festoneado y la fabricación de galerías para cubrir la barra son técnicas sorprendentemente fáciles de dominar. También hay cursos sobre esta especialidad de la costura.

La oferta del servicio

El servicio de tapicería que pueda ofrecer usted tiene una gran ventaja sobre el servicio que pueda ofrecer cualquier tienda. Le da usted al cliente la libertad de adquirir el material donde quiera (la mayoría de las tiendas sólo trabajan con tejidos que el cliente les haya comprado directamente a ellas). Y es muy probable que haga el trabajo con mayor rapidez.

El taller

Necesita un espacio amplio para trabajar; lo ideal es un cuarto de costura en el que pueda tenerlo todo a mano, una mesa grande y una buena máquina de coser con accesorios como un pie especial para ribetear, además de una buena plancha. Insista en tomar las medidas personalmente y, en el caso de cobertores sueltos, pruébelos sobre el mobiliario antes de acabarlos. No se fíe nunca de los cálculos de otra persona.

Si su negocio prospera, puede ganarse un dinero suplementario adquiriendo parte de la tela al por mayor por cuenta de sus clientes —los forros de las cortinas, por ejemplo—, añadirle su propio margen (o beneficio) y vendérselo a un precio todavía inferior al de venta al detalle. Sin embargo, para hacerlo tiene que adquirir grandes cantidades de tejido, pues los mayoristas no tratan con pedidos pequeños. Lo mismo ocurre con los adornos como borlas y cordones decorativos.

Persianas o cortinas de tiro

Las cortinas tipo persiana están muy en boga actualmente, sobre todo las variedades rizadas con formas romanas y austríacas. Es fácil adquirir el mecanismo, por lo que podría considerar especializarse en este campo. La mayoría de las persianas que se compran hechas vienen sólo en medidas estandarizadas y en colores poco inspirados; ahí es donde usted entra en juego. También podría dedicarse a pintar persianas o superponerles aplicaciones engomadas; una hilera de tulipanes en el borde inferior, por ejemplo, o unas gaviotas volando en la parte de superior.

Los cojines y las pantallas de lámpara son otras ramas de la tapicería cuya fabricación puede ser provechosa, si elabora algo especial. También puede hacer imaginativos cojines en tela de rizo para el baño o para la habitación de los niños.

Después podría seguir con la producción de sorprendentes pantallas de lámpara mediante una combinación de costura y pegado. Hoy día se pueden comprar en casi todas partes estructuras de alambre con las formas ya hechas. Una vez más, ésta es una manualidad que se puede aprender fácilmente a partir de un libro. Esté al tanto de por dónde va la moda en cuanto a pantallas. Quizá quiera dedicarse a hacer pantallas para venderlas en las boutiques a fin de incrementar sus ingresos.

Géneros de punto

Hoy día las chaquetas y jerseys de punto realmente creativos alcanzan unos precios increíbles en las tiendas. Muchos diseñadores elaboran vestidos de punto, algunos de ellos a base de hilos teñidos a mano, con lo que la competencia es grande. Si se ve capaz de diseñar sus propios patrones de un modo artístico y colorido, venda primero su colección a boutiques de moda locales y luego diríjase a tiendas y almacenes más importantes; si lo exige la demanda, considere la posibilidad de introducirse en el mercado de los pedidos por correo.

Los fabricantes de géneros de punto están siempre necesitados de gente que trabaje para ellos, aunque ésta puede ser una forma de trabajo muy esclava. Antes de emplearle, cualquier empresa querrá ver algo que haya hecho antes, a nivel de acabados, y una pequeña muestra de tejido de punto para asegurarse de que tricota con la tensión correcta.

Maquinaria

Tricotar a máquina es una artesanía totalmente diferente, en la que fracasan muchas personas que saben hacerlo a mano. Sin embargo, es mucho más rápido y el hilo empleado es más barato. Antes de lanzarse a comprar una máquina es vital que consiga la mayor cantidad de información que le sea posible. Muchas escuelas de educación de adultos imparten actualmente cursos de tricotado a máquina, y debería ver varios modelos diferentes de máquinas antes de tomar su decisión. Si no le ofrecen al momento una demostración de todas las características del modelo y la posibilidad de probarlo, pregunte.

Si trabaja con una máquina necesitará un taller separado en el que instalarla. Si vende directamente al público, calcule el coste de su tiempo de forma realista. Incluso en el caso de que disfrute tricotando, han de pagárselo bien. Envuelva los productos acabados del modo más atractivo posible, para que luzcan como prendas de lujo. Disponga de sus propias etiquetas

124

para coserlas en los cuellos, y utilice bolsas de celofán, mejor que de plástico ordinario, para exhibir las prendas.

Bordado y encaje a mano

Estas dos manualidades están hoy día muy de moda. Pero hay que tener en cuenta que este trabajo se está llevando a cabo en países del Tercer Mundo, donde la mano de obra es más barata, por lo que es muy difícil competir en cuestión de precios. Así que es en esto donde tiene que usar su ingenio.

Annie siempre ha sido hábil con el encaje de mano y hoy día se gana muy bien la vida cosiendo cojines y cuadros adornados con retratos de animales domésticos. Combina sus habilidades como costurera con su capacidad para pintar sobre lienzos de cáñamo, ampliando las fotografías y transfiriéndolas después. Está pensando en dedicarse a bordar sobre fotos de las casas y jardines de sus clientes como otra manera de ganar dinero.

Edith hace unos bordados exquisitos sobre toallas, sábanas y fundas de almohadas para una elegante boutique de ropa de hogar. También borda pañuelos de bolsillo, que se venden muy bien en la época navideña. Ahora acaba de recibir su primer pedido de Norteamérica y ha contratado a una aprendiza.

Si está realmente en condiciones de diseñar bordados o encajes, considere la posibilidad de vender sus servicios a empresas especializadas. Querrán ver muestras, tanto de sus dibujos sobre lino o cáñamo como del trabajo acabado. También podría vender sus propios conjuntos directamente al público. Elizabeth Bradley, cuyos conjuntos de encaje de mano se venden en todo el mundo, empezó de esta manera.

Juguetes blandos

Los muñecos de tela o peluche, tanto si son tricotados como cosidos, tienen un atractivo especial, sobre todo en Navidad.

Si tienen un segundo uso, como guarda-pijamas o bolsa para zapatos, por ejemplo, tendrá más posibilidades para venderlos.

Si quiere que se vendan bien, recuerde que, como los libros infantiles, tienen que llamar la atención tanto de los adultos, que son quienes los van a regalar, como de los propios niños. Utilice su imaginación para conseguir nuevas creaciones, pero evite todo lo que tenga relación con personajes actuales del cine o la televisión; Mickey Mouse y otros personajes de renombre mundial están cubiertos por estrictas normas de reserva de derechos de reproducción, por lo que se puede encontrar con problemas si los pone a la venta por su cuenta.

El panorama es inmenso, desde muñecas y peluches hasta mimosos animales de granja, o incluso personajes de la era espacial o dinosaurios. Tenga en cuenta que se va a enfrentar con una dura competencia. Las materias primas no pueden ser inflamables, incluyendo el relleno, por supuesto. Lo mejor es que sean lavables, y no deben contener elementos peligrosos como alambres ni nada pegado o cosido que los niños puedan tragarse. Para comprobar que sus creaciones se pueden considerar seguras, tendrá que hacerse con un ejemplar de la legislación actual referente a juguetería.

La mejor forma de tener éxito en este tipo de trabajo es especializándose, de manera que se haga un nombre como autor de muñecas victorianas, por ejemplo, o de peluches. Los vestidos de las muñecas, que a menudo están bastante mal hechos, pueden ser otra buena fuente de ingresos, si tiene la paciencia de trabajar con prendas en miniatura. Tome las medidas de muñecas comerciales populares, como Sindy o Barbie, y busque tejidos «de artesanía» que se venden para centones en las secciones de costura de los grandes almacenes. Existen pequeños patrones que pueden servir para vestir muñecas. Busque también saldos en las rebajas, así como piezas de centón, y guárdelos. Podría crear un guardarropa completo para determinadas muñecas, ideal como regalo de Navidad.

USE SUS MANOS

Si es hábil con el martillo, si puede trabajar con metales, reparar muebles, fabricar joyas o quizá cerámica, posee en las puntas de los dedos un talento que puede muy bien convertir en lucrativa carrera. O quizá tiene algún otro interés, en el que lleva años adiestrándose y nunca ha pensado en capitalizarlo. Los encuadernadores de libros o los grabadores de vidrio, por ejemplo, pueden pedir precios muy altos por su trabajo.

Cerámica

Si es capaz de hacer cerámica de buena calidad, o sea, interesante y creativa a la vez, puede y debe ser capaz de hacerse un hueco en el mercado. Podría considerar, por ejemplo, la posibilidad de crear juegos de té en miniatura, joyería cerámica y otras pequeñeces, para empezar, y hallar para ello un mercado más receptivo que el de las vasijas y jarras tradicionales.

Si parte de cero, haga un curso antes de invertir en utensilios como un horno de cocer o un torno de alfarero, pues muchos ceramistas afamados no los usan para nada.

Es éste un trabajo doméstico que necesita unas instalaciones adecuadas. Quizá se pueda reconvertir un garaje, o un cobertizo. Pero necesita electricidad para enchufar el horno. Los hornos eléctricos son la única elección posible, sobre todo si es un principiante. También le hará falta un fregadero y espacio de sobras para almacenar cosas como obras a medio terminar y sacos de arcilla. Asimismo, trabajará con productos químicos en forma de barnices, así que tiene que guardarlos fuera del alcance de los niños y usar una máscara industrial y gafas protectoras cuando los esté manejando.

Evite caer en la trampa de hacer cosas sobre una base repetitiva. Un pedido de, pongamos, un centenar de cubiletes idénticos puede parecer apetecible desde el punto de vista financiero, ¡pero sería mortalmente aburrido! Y recuerde, al calcular los costes, que ha de tener en cuenta la inevitable eventualidad de que algunas cosas se rompan al hornear, o que el vitrificado le salga mal.

Heather se convirtió en ceramista, según cuenta, «casi por casualidad. Mi tercer hijo ingresó en la guardería y de repente me encontré con que tenía tiempo libre. Iba caminando hacia el instituto con una amiga que me dijo que ella siempre había querido hacer objetos de cerámica... ¡y me enganchó!». Heather se encontró con que cada vez pasaba más tiempo ante el torno. «Hice un juego de café y lo expuse en una exhibición local. Tuvo aceptación y recibí pedidos para cuatro más. ¡Después de eso tuve que aprender a modelar rápidamente!» Hoy día es una ceramista que trabaja a tiempo completo y da clases a tiempo parcial en el mismo instituto en el que aprendió por primera vez a trabajar la arcilla.

Joyería

Los conocimientos necesarios para dedicarse a la joyería dependen por completo del tipo de piezas que vaya a fabricar. En su aspecto más básico puede aprender por sí mismo con facilidad a ligar cuentas coloridas en forma de collares, pulseras o incluso pendientes y broches. En el otro extremo de la escala, puede adiestrarse en trabajar con plata, oro y piedras preciosas.

Cuanto más caro sea el material con el que trabaja, más instrumental necesitará. Un término medio entre las formas más sencilla y más compleja de joyería sería la elaboración de broches, anillos y collares utilizando cristales especiales y piedras semipreciosas. Puede que viva cerca del mar, por ejemplo, y sea capaz de hallar bonitos cristales y conchas en la playa. Para esta artesanía podría adquirir, de segunda mano, una ruidosa aunque efectiva máquina de torcer, que podría comprar barata a través de las revistas especializadas. También necesitará un soldador (que nunca se debe usar para metales preciosos como el oro y la plata) y algunos pegamentos. Aprenda usted mismo a hacer la instalación con ayuda de libros. Es fácil adquirir artículos como cierres de collar, pinzas para pendientes o agujas de broche en las tiendas de artesanía.

Reparación de joyas

Siempre hay demanda para un servicio de reparación de joyas, y si le llama la atención este aspecto particular de la joyería, considere la posibilidad de aprender a hacerlo. Tenga en cuenta que, en realidad, requiere más habilidad reparar una pieza rota que fabricarla a partir de cero. No obstante, a condición de que se desenvuelva en el manejo de metales nobles y piedras preciosas, mucha gente se alegrará de saber que hay alguien capaz de reinsertar las cuentas de su collar o de reparar sus pendientes favoritos o un broche del que se ha desprendido una piedra de imitación.

Empiece a practicar con collares rotos u otros objetos de bisutería que le presten sus amigos o que encontrará en los mercadillos. Si descubre que tiene la necesaria disposición para ello, podría dedicarse a comprar piezas rotas, restaurarlas y revenderlas.

Modelismo

Si ya está inmerso en esta afición tan concreta, puede que existan muchas salidas para su trabajo. Sus servicios pueden interesar a arquitectos y topógrafos locales, así como a grandes empresas que suelan exponer en ferias comerciales. Y en el mercado inmobiliario, los promotores de un nuevo edificio pueden muy bien desear modelos de pisos para mostrarlos a sus posibles clientes. Prepare una carpeta con fotografías de sus trabajos y póngase en contacto con ellos.

También podría modelar paisajes atravesados por trenes eléctricos o granjas para venderlos en tiendas de juguetes. Otro servicio especializado, que puede ofertar por correo o mediante anuncios en el periódico, consistiría en halagar la vanidad de los propietarios de casas ofreciéndoles una versión modelada de sus mansiones para exhibirla en la repisa de la chimenea.

Juguetería

Existe un amplio espectro de juguetes que pueden ser hechos por cualquiera que tenga aptitudes como carpintero, desde caballitos de balancín a la vieja usanza hasta casas de muñecas. También estos están regulados por ciertas normas, la mayoría de ellas basadas en el sentido común. Por ejemplo, una sillita especial debe ser lo bastante fuerte para soportar el peso de un niño (y probablemente el de un adulto que intente sentarse en ella). También ha de tener cuidado con los bordes cortantes y piezas desmontables que se puedan tragar. Y no use nunca pinturas que contengan plomo.

El fascinante mundo de las casas de muñecas está abierto a cualquiera que desee trabajar en su domicilio, a condición de que disponga en él del espacio necesario. Podría fabricar un modelo en miniatura de la casa real de los niños, por ejemplo. Incluso aunque sus habilidades como carpintero sean mínimas, el panorama del mobiliario en miniatura es amplio y se puede utilizar cartón, madera de balsa y todo tipo de materiales para crear suites de tres habitaciones, camas con dosel, mesas y sillas.

Jenny ha acaparado un sector muy especializado del mercado. Fabrica fuentes de comida para casas de muñecas y juegos de té en miniatura: «utilizo arcilla de modelar —dice—, que luego barnizo y pinto. Vendo mucho por correo, lo que resulta muy sencillo porque son cosas muy fáciles de embalar».

Juguetes y accesorios para animales

Hacer objetos para animales domésticos es un negocio de artesanía especializada que puede aportarle unos buenos ingresos. Para ello necesita tener habilidades para la costura y para la carpintería, en función de lo que piense fabricar.

El de los gatos es un buen mercado por abastecer. Podría hacer para ellos juguetes, como ratones de tela rellenos de hierba gatera seca, y atractivos collares tachonados de pedrería sobre una base elástica.

Si tiene habilidad para trabajar el cuero, existe todo un mercado en el que vender interesantes e insólitos collares, tanto para gatos como para perros, quizá con sus nombres tachonados. También se pueden diseñar atractivos y estilizados abrigos para perros, en diferentes formas y tallas.

Joan se ha especializado en collares para animales domésticos. Lo más corriente que hace son collares para perros de lanas con cinta de tafetán de tartán, coronados con un gran lazo. El invierno pasado hizo unas corbatas de lazo en blanco y negro que causaron furor como relucientes adornos navideños. Hace algún tiempo, cuando daban la serie *Dallas* por televisión, Joan hizo una serie de abrigos para perros en los que aparecía grabada la frase: «Yo maté a J.R.» Tuvieron un éxito inmediato entre el público y Joan tuvo que contratar a más personas para hacer frente a la demanda. Si se le ocurre una frase con garra como ésta, sáquele provecho.

Lechos y afilauñas

A gran escala, los lechos acolchados con recubrimiento desmontable y lavable, rellenos con gránulos de polietileno, se venderían bien si el tejido fuese de la calidad y el diseño de los que ofertan la mayoría de las tiendas de animales. Cualquiera que sea hábil como carpintero puede obtener unos buenos ingresos fabricando decorativos afilauñas para gatos, que harían juego, previo diseño, con los muebles de la mayoría de las salas de estar. O, en el extremo más lujoso del mercado, podría hacer perreras «de diseño».

Utilice su imaginación para penetrar en el lucrativo mercado de los animales domésticos, ya sea fabricando accesorios de tela u originales cuencos para la comida. Tiente a las tiendas de animales de su localidad con ejemplos de sus ideas. Si le va bien, considere la posibilidad de trabajar sobre pedidos por correo, anunciándose no sólo en revistas especializadas en animales domésticos, sino también en las de hogar y jardinería.

Restauración de muebles

Aunque está considerado como un trabajo más bien propio de hombres, hay muchas mujeres que están aprendiendo este oficio. Supone una gran satisfacción el hecho de elegir una pieza en un mercadillo, llevársela a casa y, con ayuda de tiernos cuidados, convertirla en algo vendible.

Es extraordinario el modo en que lo que desecha una generación se convierte en algo preciado para la siguiente. ¿Quién hubiera dicho que los muebles de los años cincuenta, por ejemplo, se convertirían en piezas dignas de culto? Nosotros también vemos las cosas con otros ojos. Las generaciones precedentes creían que el pino en su estado natural era una madera fea y que era necesario recubrirla de algún modo con tinte o pintura; hoy día hay talleres que trabajan exclusivamente con muebles de madera de pino desnuda.

Las aptitudes necesarias

Las aptitudes que necesita para la restauración de muebles son numerosas. Tiene que ser un buen carpintero, pero también ha de estar preparado para decapar, lijar, pulir y remendar piezas de mobiliario. Después podría aprender a enyesar y dorar, limpiar y reparar bronces, y tratar marcos y molduras de cuadros y espejos. Existe toda una serie de especialidades a las que podría dedicarse si es bueno en el arte de la restauración: la marquetería y el contrachapado, por ejemplo. O podría estar interesado en los relojes; empezar sencillamente por su limpieza y engrase y aprender después a repararlos. Si se convierte en un verdadero experto, los tratantes de antigüedades tendrán mucho gusto en conocerle.

Hay dos maneras de ganar dinero con este trabajo: haciendo reparaciones para algún establecimiento y comprando piezas en subastas para después restaurarlas y venderlas. En cualquier caso, necesitará un taller en el que desarrollar el trabajo, que puede ser muy sucio y producir aromas desagradables con cosas preparados utilizados para decapar la pintura.

El sitio ideal sería un garaje que no se utilice como tal o un cobertizo en el jardín. Quizá pueda reconvertir un ático o el sótano, aunque lo mejor sería, a la larga, utilizar una dependencia exterior. También necesitará una furgoneta en la que se puedan cargar piezas voluminosas y, si su negocio prospera, quizá desee invertir en una camioneta.

Tapicería

Si es hábil con el martillo y los clavos, y con la costura, ¿por qué no combinar esas dos aptitudes y aprender a tapizar? La mayoría de las escuelas públicas de artes y oficios imparten clases sobre esta técnica; después, puede incrementar sus conocimientos con ayuda de cualquiera de los muchos libros existentes sobre el tema.

Aunque puede llevarle tiempo y práctica recubrir con terciopelo una silla victoriana abotonada o un sofá, hay mucho trabajo por hacer para gente que tiene muebles tapizados corrientes que necesitan ser reparados. Porque lo cierto es que resulta difícil enviar un mueble corriente, como un sillón voluminoso que necesite ser restaurado, a cualquier tienda de tapicería, que por lo general están llenas de trastos viejos. A menudo es necesaria una larga espera antes de recuperar su sillón, y la factura puede no guardar proporción alguna con su valor real.

Así que he aquí su oportunidad de brillar, buscando muebles que no sean del todo antiguos, recubriendo sofás familiares, sillas de comedor o banquetas. Si además maneja bien la aguja, puede ofertar al mismo tiempo juegos de fundas sueltas para los muebles.

Para dedicarse en serio a la tapicería, necesita una máquina de coser con la que pueda trabajar sobre tejidos gruesos. También tendrá que comprar herramientas especiales, como agujas curvadas para hacer tapicería abotonada, unas buenas tijeras que puedan cortar tejidos consistentes y un tensor para ayudarse cuando tenga que recomponer asientos. Para muebles más ligeros vale la pena invertir en una pistola de grapar y en una pistola de engomar para llevar a cabo las reparaciones.

Ponga un cartel anunciando sus servicios en los escaparates de tiendas de trastos viejos y empiece cobrando por horas hasta que tenga suficente confianza en sí mismo para presupuestar sus trabajos de tapicería. Naturalmente, necesitará tener en su casa una habitación exclusivamente dedicada a este trabajo, con espacio suficiente para almacenar tanto los muebles como el material.

Reparar porcelana y cristal

La restauración de porcelana y cristal es un trabajo delicado. Ha de conocer a conciencia las técnicas antes de empezar, y tendrá que trabajar con sumo cuidado y atención. También depende el empleo que se le vaya a dar a la pieza una vez recompuesta: una pieza que va a permanecer en un estante no necesita un engomado tan resistente como una que va a ser utilizada. No obstante, los pegamentos modernos han hecho el proceso mucho más fácil de lo que era antes.

La restauración de auténtica porcelana china en su grado más alto de calidad es un verdadero arte que puede implicar conocimientos de apuntalado y moldeado, modelado con resina epoxídica y pintura. El cristal se manipula más o menos del mismo modo que la porcelana, aunque, eso sí, es más frágil. Sin embargo, materiales nuevos como las resinas acrílicas líquidas consiguen que sea posible hasta reponer el pie de una copa de vino. Muchas academias imparten cursos sobre esta fascinante artesanía.

Encuadernación

Cualquiera que domine la técnica de la encuadernación puede estar en condiciones de convertir esta afición, cada vez más popular, en un oficio doméstico. Restaurar y encuadernar libros viejos para libreros o hacer encuadernaciones especiales en cuero trabajado para ediciones limitadas, es un trabajo concienzudo, aunque muy bien recompensado desde el punto de vista económico. También podría ofrecer un servicio especializado a coleccionistas particulares que deseen tener sus libros recubiertos, y adentrarse en el mercado «de la vanidad» elaborando suntuosas encuadernaciones para tesis académicas, pequeñas ediciones privadas de poemas o diarios personales.

Enmarcado

Si ha aprendido a enmarcar debidamente sus propios cuadros, considere la posibilidad de montar un servicio de enmarcado. Lo que el público desea es que les devuelva sus cuadros rápidamente y que utilice marcos bonitos y atractivos. Existen tiendas especializadas, por supuesto, pero por lo general tardan mucho en hacer el trabajo y cobran demasiado.

No crea que éste es un oficio que puede ejercer en un rincón de su sala de estar. Los materiales que tendrá que almacenar necesitan mucho espacio. No sólo necesitará un cortador de molduras, un cortador de vidrios, una caja de ingletes y otras herramientas, sino también algo para guardar tableros, cartones, molduras y marcos a medio hacer. Consiga sus molduras en un establecimiento mayorista y hágase un muestrario con las formas, colores y tamaños que puede ofrecer. También tendrá que invertir dinero en existencias antes de empezar a trabajar.

Para tener una idea, Dése una vuelta por las galerías de arte para ver cómo enmarcan los cuadros que venden. Recuerde que a una pintura poco atractiva se le puede volver a dar vida poniéndole el marco adecuado. Hay modas, por supuesto, y lo más actual son las molduras en colores vivos y los marcos decorados.

Una vez instalado, ofrezca sus servicios a las tiendas de arte locales, a los marchantes de pinturas, así como a grupos o asociaciones de pintores aficionados. Tómese también la molestia de ponerse en contacto con artistas profesionales de su vecindad, lo que le podría reportar un contrato para enmarcar algo o incluso cincuenta cuadros de golpe para una exposición.

BELLAS ARTES

Pintura

La vida de un artista, como la de un escritor, suele ser solitaria y cargada de reveses, sobre todo en sus comienzos. Yo soy uno de ellos, así que cuente con toda mi simpatía. No obstante, si consigue cuajar entre el público, la recompensa puede ser deslumbrante.

Pintar es una ocupación a la que se puede dedicar, afortunadamente, en su tiempo libre. Así que la mejor manera de llegar a ser un artista de éxito parece ser la de empezar despacio, más que dejar su trabajo para ponerse a pintar todo el día y a esperar a que le lleguen los encargos.

George ha sido un entusiasta artista aficionado durante años, pero hasta su jubilación no se ha dedicado a ello por completo. «Pertenezco a un colectivo local de artistas y en las exposiciones que hacíamos descubrí que mis cuadros se vendían

136

bien, así que me dije: "¿Por qué no tomármelo más en serio, ahora que tengo tiempo?".» La especialidad de George son los paisajes. Ahora ha añadido a su muestrario paisajes urbanos y lleva un animado negocio pintando cuadros del centro histórico de la ciudad que vende a sus paisanos y a los turistas. «Acabo de recibir el encargo oficial de hacer un cuadro del Ayuntamiento —cuenta George orgulloso—. ¡Ahora sí que voy a empezar a ganar dinero de verdad!»

Vale la pena hacer un poco de márketing. Y ser atrevido: en cierta ocasión yo estaba completamente obsesionada con pintar ovejas. Me enviaron a Australia en viaje de negocios y me di cuenta de que, aun siendo uno de los mayores productores de lana del mundo, en aquel país no se pintaban ovejas. Me fui a una galería de Sidney y les vendí la idea: un año más tarde realicé una exposición. La idea les pareció tan novedosa que me sacaron en la radio y la televisión, Salí en todos los periódicos… ¡y vendí todos mis cuadros!

Shelagh descubrió que tenía aptitudes para hacer retratos de personas. Ahora tiene montado un negocio rentable haciendo retratos para regalo. «He descubierto que a la gente no le gusta nada posar para mí durante cuatro horas seguidas —explica—. Así que les saco una serie de diapositivas en color y las proyecto en la pared de mi estudio. De este modo, las poses son perfectamente fijas.»

Para dedicarse a la pintura necesita sentirse motivado de forma permanente, sobre todo para acabar un retrato. Cómprese revistas especializadas para darse un empujoncito. Márquese un plazo para participar con sus cuadros en exposiciones, para imponerse una fecha de entrega. Hágase miembro de un grupo artístico local para mantenerse en contacto con lo que ocurre a su alrededor. Y vaya a ver todos los cuadros que pueda. Patéese las salas de arte y los museos.

Si sus cuadros no se venden bien, piense que existe todo un abanico de gustos. Recuerde lo que les ocurrió a los impresionistas o los cubistas cuando expusieron por primera vez.

Trabajos de ilustración

Hacen falta ilustradores para todo tipo de material editorial, desde anuncios hasta pósters, pasando por cubiertas de novelas y tiras cómicas para revistas. Con todo su talento y cierta formación (muchas academias dan cursos de ilustración y arte comercial), considere la posibilidad de explorar este lucrativo terreno mientras espera su gran oportunidad en el mundo artístico. Tendrá que preparar una carpeta con fotografías de sus trabajos para así abrirse paso en el mercado. Con un poco de suerte puede conseguir que se haga cargo de usted un representante, aunque ésta es un área en la que, definitivamente, tiene que venderse a sí mismo llamando a las puertas y haciendo llamadas telefónicas para concertar entrevistas. Pero si a los clientes potenciales les gusta lo que hace y trabaja rápido y bien, se acabaron sus preocupaciones financieras.

Restauración de arte

Las pinturas no duran eternamente. De hecho, empiezan a deteriorarse en el momento en que salen de las manos del artista. Muchos cuadros llevan años almacenados en lugares inadecuados, así que no es sorprendente que exista cada vez más demanda de los servicios de un restaurador. Los pintores no son perfectos y el uso de pigmentos y barnices malos hace que existan muchos trabajos que necesitan ser reparados. Hace unos años, en uno de nuestros museos se descubrió que la cara de un retrato expuesto al público parecía ablandarse de forma curiosa. La tela se estaba deshaciendo literalmente porque, al parecer, el artista había utilizado demasiado aceite de linaza al hacer sus mezclas.

Si tiene aptitudes para la pintura y se siente capaz de aceptar la responsabilidad de manejar los trabajos de otras personas, puede resultarle muy interesante seguir un curso sobre restauración de arte para incrementar sus ingresos. Una vez dominada la técnica, también podría comprar cuadros antiguos baratos y restaurarlos para una provechosa reventa. Las acuarelas, grabados y dibujos sobre papel también tienden a deteriorarse. Un restaurador experto no sólo puede reavivar los colores, sino también reparar manchas de humedad y desgarros, hasta conseguir que el cuadro parezca nuevo. Además, siempre sale algún que otro trabajo como consecuencia de desastres como inundaciones o incendios.

¿Dónde aprender el delicado arte de la restauración de pinturas? Hay un número creciente de instituciones que imparten cursos sobre el tema, entre ellas los grandes museos; las casas de subastas pueden ponerle en contacto con alguien que podría ayudarle. A corto plazo, también puede hacer su propio aprendizaje junto a un restaurador establecido.

Existen libros especializados sobre el tema. Y también encontrará en las revistas de pintura proveedores especializados para los materiales que necesite.

Grabado sobre vidrio

Mucha gente se dedica al grabado sobre vidrio. Se necesita, ciertamente, tanto talento como precisión. Los intrincados motivos se ejecutan sobre el vidrio de dos formas: trabajando con un ácido que disuelve el vidrio allí donde lo toca o grabándolo con un rodillo o punta de diamante.

La decoración del vidrio no fácil. Pero si es capaz de hacerlo (y existen cursos para aprender), puede descubrirse a sí mismo grabando iniciales o distintivos en copas, o incluso, gradualmente, flores y otros motivos más complicados.

ARTES MANUALES

Si tiene aptitudes artísticas y le gustan los trabajos manuales, puede aprender cualquiera de las siguientes técnicas en publicaciones especializadas, revistas o cursos. Para algunas de ellas se necesita precisión y atención a los detalles, y para otras, poco más que una buena disposición artística.

Caligrafía

El arte de la caligrafía se puede aprender de una manera relativamente sencilla en libros y cursos sobre esta fascinante artesanía. El equipo necesario para empezar es barato y sencillo: plumas con distintos tipos de punta y tinta, que se pueden adquirir en tiendas de arte o papelerías. Más adelante, cuando ya sea un experto, quizá quiera trabajar con papeles hechos a mano, o incluso con pergaminos. Una vez dominada la técnica manual, existen infinidad de oportunidades de vender sus habilidades: manuscritos de lujo, certificados y diplomas. También puede elaborar etiquetas personalizadas para vinos, mermeladas y encurtidos de fabricación casera, por no hablar de felicitaciones y tarjetas de invitación. No olvide que sus diseños también se pueden imprimir por poco dinero.

Candelería

Hoy día es posible adquirir utensilios de candelería, una vez resuelto el problema de las materias primas para esta artesanía. Obviamente, no se trata de ponerse a confeccionar velas tradicionales, sino algo original, juegos multicolores de velas con formas de frutas, animales o pájaros, que se venden muy bien, sobre todo en vísperas de Navidad. Las velas perfumadas y decoradas también tienen su mercado. Adquiera un juego sencillo y experimente con él para ver si le va la candelería; después intente elaborar sus propios diseños.

Pintura de muebles

Los acabados decorativos de mobiliario están muy en boga en estos tiempos. Puede adquirir los conocimientos necesarios a partir de libros o asistiendo a un curso sobre el tema. Pintar muebles se ha convertido hoy día en algo muy sofisticado, ya que las piezas se han de frotar con trapos o esponjas de color antes de añadirles los motivos, que han de ser vaciados o pintados a mano.

Si tiene aptitudes para este tipo de trabajo, y dispone del espacio necesario para almacenar muebles, mucha gente se sentirá contenta al oír hablar de alguien que trabaja a unos precios más bajos que los que cobran los anticuarios. Valdría la pena que buscase objetos asequibles —pequeños aparadores, mesillas de noche y arcas— en subastas y mercadillos, para decorarlos y volverlos a vender. No se olvide de los objetos para el patio, como cubetas de hierro galvanizadas o maceteros, que se pueden decorar con diversos motivos y con esmaltes de colores brillantes.

Flores artificiales

Las flores artificiales realmente bonitas, ya sean de papel o de seda, siempre tendrán un mercado. Es ésta una artesanía que también puede usted aprender en cursos o en libros. Y si tiene aptitudes para ello, puede ganarse muy bien la vida.

No tenga miedo de experimentar con sus materiales. Hágase un archivo con fotografías de motivos florales para trabajar sobre ellos, y venda sus flores adecuadamente dispuestas en decorativos floreros o cestas, para sacarles un dinero extra.

Trabajar con papel

Hoy día hay objetos preciosos, y muy caros, hechos a mano con papel, algunos de ellos verdaderas obras de arte. El trabajo con papel es una artesanía barata de montar, pues las materias primas las tiene ya a mano en su casa. A pesar de que el papel de diario no es muy adecuado a causa de su pobre calidad, hay otros muchos pedazos de papel por la casa que se prestan a ser utilizados y no importa en absoluto si están impresos, puesto que se tendrán que lavar.

El modo más fácil de aprender a trabajar con papel es adquirir un juego en el que se explica todo. Los materiales básicos —papel y/o fibras vegetales— se trituran, se hierven hasta formar una pulpa, que se tritura de nuevo y se moldea en forma de papel. Después puede aprender a imprimir filigranas y a prensar tiernas florecillas, ramos de hojas, plumas y todo tipo de cosas, o vetear el papel con colores.

Los calígrafos, artistas y papeleros especializados tendrán un gran placer en conocerle. Y no descuide la posibilidad de vender sus objetos de papel directamente al público a través de mercadillos de artesanía y pedidos por correo.

OTRAS FORMAS DE USAR SUS HABILIDADES

Escribir sobre ello

Si es experto en algo y ha desarrollado durante años una pasión absorbente por ello, existen otras formas de sacarle provecho. Quizá, si comprueba que en el mercado no existen muchos libros sobre el tema, podría escribir uno usted. Para ello, debería ponerse en contacto con editores especializados en libros sobre artesanía.

Enseñarlo

También podría enseñar la técnica que conoce organizando talleres de una jornada o de un fin de semana en su propia casa. Para encontrar clientes, anúnciese en revistas especializadas en artesanía o bricolaje, que tienen una serie de páginas dedicadas a los pequeños anuncios. También podría ponerse en contacto con las autoridades locales de enseñanza para ver si necesitan maestros especializados para la escuela de adultos.

CAPÍTULO 6

Trabajos de jardinería

Si realmente disfruta con la jardinería, considere la posibilidad de utilizar su jardín para transformar una afición particular en una fuente de ingresos. Ganar dinero cultivando plantas es más gratificador que muchos de los métodos tradicionales de trabajar en casa. Además, no le obliga a forzar la vista, es una ocupación tranquila que no molesta a los vecinos y, puesto que está todo el día encogiéndose y estirándose y trabajando al aire libre, también es realmente beneficiosa para su salud.

Existen muchas razones por las que puede decidirse a ganar dinero con su jardín. Por ejemplo, el señor Unwin, de la empresa Unwin Seeds, era un pequeño comerciante urbano de principios de siglo que empezó a cultivar guisantes dulces como afición y después lo convirtió en un lucrativo negocio suplementario. Hoy día tiene una de las mayores empresas británicas de simientes y sigue especializándose en guisantes dulces. Incluso en nuestros días, el panorama de la jardinería está sugestivamente plagado de neófitos que le podrían seguir los pasos.

CULTIVAR PARA VENDER: ¡ESPECIALíCESE!

Todo eso está muy bien, pero quizá se preguntará: ¿Cómo voy a competir con los gigantescos centros de jardinería, las empresas de simientes, los grandes viveros? El secreto es sencillo y se puede condensar en una sola palabra: especializarse. Las empresas con grandes plantillas y muchos gastos generales tienen que dedicarse al cultivo a gran escala, con toda la inversión que esto comporta: gigantescos invernaderos que necesitan sistemas automáticos de calefacción y riego y, personal al que hay que seguir pagando en las épocas del año en que no es mucho lo que se vende. Incluso es posible que estas grandes empresas hayan de comprar plantas a otros pequeños cultivadores… uno de los cuales podría ser usted, claro.

Por otra parte, puede dedicarse a una determinada especie de planta o grupo de plantas y concentrarse en ellas. Asimismo, deberá dedicar tiempo y atención a sus clientes, y tenerlos plenamente informados acerca de todo lo que cultiva, algo que los grandes empresarios no pueden hacer. Quizá, más pronto o más tarde, sacará también lucrativos beneficios del seguimiento de algún tipo de servicio especializado.

Son muchas las posibilidades para una persona que se dedique plenamente a la jardinería, aunque sólo disponga de una minúscula parcela en la que trabajar. Pero incluso en el caso de que posea un gran terreno, recuerde que es inútil y caro tratar de competir con los grandes viveros. No obstante, si las busca, existen muchas áreas que no están adecuadamente cubiertas.

Cultivar para vender no precisa de una gran inversión de capital. Empiece con poco y, si su proyecto tiene un éxito real y necesita expandirse, siempre debería ser posible encontrar más espacio de cultivo. Al pricipio, invierta una pequeña cantidad y comience cultivando a su propio ritmo, y a medida que obtenga beneficios, reinviértalos en el negocio. Póngase en marcha: lo peor que le puede pasar es que acabe con un jardín portentosamente surtido.

Antes de empezar

Lo primero que tiene que hacer es supervisar el terreno y plantearse las siguientes preguntas:

¿Con cuánto espacio útil cuenta?

El tamaño no es tan importante como cree, a menos que cultive arbustos y árboles. Con una planificación cuidadosa, en una sola estación del año pueden crecer millares de plantas a partir de semillas en un área de sólo tres metros por seis.

¿Puede alquilar más tierra si la necesita?

Aunque a las autoridades locales quizá no les haga mucha gracia que utilice una parcela con fines comerciales, un buen espacio suplementario podría ser el jardín del vecino, quizá una persona mayor que se ha visto obligada a abandonarlo y que vería con gusto que alguien lo utilizase.

¿Que tipo de tierra tiene, ácida o alcalina?

No es cuestión de actuar en contra de la naturaleza, así que aténgase a lo que se pueda cultivar bien en su nivel determinado de PH. En cualquier caso, el tipo de plantas que se sentirán felices en él serán las mismas que cultive otra gente en la localidad con una tierra similar.

¿Tiene una habitación para utilizar como invernadero?

Si no tiene invernadero pero sí una gran sala soleada en su casa, aprovéchela para hacer crecer en ella plantas de interior, para tener cultivos tempranos o flores delicadas. Seleccione cuidadosamente sus plantas antes de empezar, pues algunas de ellas quizá necesiten calor en mitad del invierno, lo que podría encarecer la empresa.

Y, sobre todo, ¿qué le apetece cultivar?

No tiene sentido especializarse en algo que le aburra, ni siquiera aunque se presente como una buena oportunidad financiera. Creamos o no en la eficacia de hablarles a las plantas, éstas parecen poseer un modo misterioso de adivinar que no se las quiere y, en consecuencia, marchitarse y morir.

¿Qué va a cultivar?

No intente enredarse en algo que se esté cultivando de forma masiva y con sofisticados métodos de producción en serie. Éste sería el caso de los champiñones. El cultivo de champiñones fue en otros tiempos una provechosa ocupación para cualquiera que tuviera un sótano o un cobertizo adecuado, pero hoy día crecen a montones, como auténticos hongos que son, y se venden muy baratos. No obstante, si se especializa en una variedad exótica de hongos orientales, como los champiñones Shitake, puede que halle un buen mercado, y a precios más altos. Las mismas condiciones de cultivo, añadiéndoles una iluminación fluorescente y algo de calor, podrían servir para hacer crecer violetas africanas, unas plantas que dan mucho dinero, sorprendentemente fáciles de reproducir y muy populares.

También podría cultivar especies raras, que estén temporalmente pasadas de moda y, por lo tanto, escaseen. Los coleccionistas de estas plantas son gente apasionada, capaz de recorrer largos caminos para hallar una especie que añadir a sus existencias, y de pagar altos precios. Kingstone Cottage Plants es una pequeña empresa familiar que ha tenido mucho éxito en la recuperación de bonitos claveles históricos, que habían desaparecido casi por completo de los grandes catálogos.

En función de lo que decida cultivar, podría pasarse casi todo el primer año cuidando una cosecha de matas y enredaderas para venderlas en la primavera siguiente; también podría ir directamente al grano y cultivar una selección de plantas de crecimiento rápido en grandes cantidades para venderlas en el mercado o en floristerías, y así empezar a sacarles provecho desde el principio.

Flores a partir de semillas

Hacer crecer flores a partir de semillas es una forma rápida de ganar dinero, si tiene la paciencia y la habilidad necesarias para manejar plantas diminutas. De un solo paquete, por ejemplo, puede sacar cien plantas o más para vender, con un beneficio de al menos el 250 por ciento. El secreto, claro está, consiste en ofrecer algo que los clientes no puedan encontrar en un vívero, para lo que necesitará la ayuda de las más exóticas compañías de simientes. El desembolso inicial es pequeño, y conforme crezca su negocio, será capaz de tener sus propias semillas y recortar aún más los costes. Pero recuerde dos cosas: los F1 (o sea, la primera generación filial) y otros híbridos nunca llegan a procrear de verdad, así que es inútil guardar semillas de esas plantas. Además, actualmente es un delito vender semillas que no cumplan las regulaciones de la Comunidad Europea, así que compruebe primero sus variedades (si una semilla determinada no figura en los catálogos oficiales, consulte al Ministerio de Agricultura).

Perennes a partir de esquejes

Cultivar plantas perennes a partir de esquejes también puede proporcionarle rápidos beneficios. Fácilmente puede conseguir cincuenta vástagos o más a partir de una sola planta «madre» de geranio durante una estación, y venderlas una por una. Puede cobrar más si ha elegido una variedad realmente insólita.

Supervise cuidadosamente el mercado para saber qué plantas están disponibles de modo inmediato, cuáles escasean y cuáles han desaparecido por completo de los puntos de venta. Su elección pueden ser insólitos arbustos ornamentales o piezas de jardinería artística ya preparadas en macetas. O puede tratarse de cactus, bonsais o geranios de hojas perfumadas (pelargonios). También podría haber en su zona interés por variedades nuevas de plantas de maceta que puede cultivar a partir de semillas. Tenga en cuenta, sin embargo, que las plantas más fáciles y más baratas de cultivar son las que se adaptan al clima del lugar en que reside. Cualquier planta que no tolere el frío puede costarle dinero, si tiene que ayudarla a pasar el invierno.

Plantas pequeñas

Es un hecho de sobras conocido que, por término medio, los jardines tienden a hacerse pequeños, de modo que otra buena salida sería especializarse en versiones enanas de plantas comunes, pues casi todo el espectro herbáceo actual existe en versiones reducidas. Si investiga en los catálogos de semillas, descubrirá que puede hacer crecer versiones compactas de plantas como la margarita de otoño y la vara de oro, o incluso espuelas de caballero y girasoles que le lleguen hasta las rodillas, aunque todo esto no lo verá nunca en venta en los centros de jardinería. Ciertamente, las cosas pequeñas pueden llegar a ser lucrativas: un cultivador del West Country ha montado un negocio de gran éxito plantando verdaderos jardines en miniatura en piletas, y proporcionando plantas sueltas a los clientes que quieren hacerse los suyos. Además, ha escrito sobre el tema un libro que él mismo vende directamente a sus clientes, con lo que obtiene unos grandes beneficios.

Plantas para terrenos difíciles

Una buena forma de convertir la adversidad en un beneficio potencial, si su jardín no está demasiado bien emplazado, es especializándose en el cultivo de plantas que crezcan en condiciones difíciles. Puede que su parcela tenga poco sol, por ejemplo, lo que le proporciona la ocasión perfecta para especializarse en plantas que crezcan a la sombra, como las begonias y ciertos lirios. Por el contrario, si tiene un jardín seco y soleado, ¿por qué no cultivar plantas de follaje plateado que pueden medrar en tales condiciones —artemisas y lavandas, por ejemplo— para proveer a la gente que tiene jardines en condiciones similares? Valdría la pena vender las plantas por correo, si lleva a cabo una operación especializada de este tipo, para captar el mayor número posible de clientes. Conozco a muchas personas que tienen éxito en un negocio como éste. Una mujer de Hertfordshire, por ejemplo, ha hecho un próspero negocio vendiendo pequeñas hierbas de bosque a la gente que odia cortar el césped; y un hombre de Essex se ha especializado en una enorme variedad de hiedras, con hojas de todas las formas, tamaños y colores, que son ideales para recubrir paredes feas.

CÓMO VENDER SUS PLANTAS

Antes que nada, eche un vistazo al mercado y averigüe dónde están sus clientes potenciales. Puede que decida vender directamente al público. Pero si vende en su jardín, piense que ha de asegurarse de que los coches puedan salir de la carretera sin peligro y de que no infringe ninguna ley municipal. Los mercadillos, que están proliferando y se instalan al menos un día a la semana en todas partes, son un buen sitio para vender plantas.

Los domingos

Abra su jardín al público los domingos por la mañana y tenga plantas a punto para venderlas. Es una buena forma de atraer clientes, que volverán más veces a comprar si les gusta lo que tiene en oferta y lo pueden ver cultivado sobre el terreno. Asegúrese de que las plantas tienen etiquetas informativas y esté dispuesto para contestar preguntas y dar consejos.

Venta por correo

Los pedidos por correo, como ya he dicho antes, son otra buena idea si se especializa en un tipo de plantas determinado. Así, mientras se va haciendo con una lista de clientes habituales, puede valer la pena disponer de un catálogo sencillo, escrito a máquina o con ordenador. Mientras tanto, puede empezar distribuyendo folletos por los buzones y quizá publicando un pequeño anuncio en el periódico local. Por lo general, cuando hay alguien que vende algo que es interesante o fuera de lo común, se corre la voz entre los aficionados a la jardinería pues a la gente le gusta descubrir nuevos proveedores de plantas, por lo que no tendrá que esperar mucho. Más tarde, cuando crezca su negocio, podrá intentar montar un puesto en las ferias de horticultura.

Dése una vuelta por ahí. No desprecie a los pequeños comerciantes: floristas, proveedores de jardinería o tiendas de maquinaria y semillas, por ejemplo, que están en posición de desventaja frente a los centros de jardinería y supermercados. A muchos de ellos no les interesan los grandes cultivadores ya que, como venden a gran escala, tienden a proveer al mercado de grandes superficies. Usted, sin embargo, puede proporcionar insólitos follajes, flores y plantas de interior a los floristas, plántulas y semilleros a los almacenes de maquinaria agrícola y a los sementeros para que los vendan en cajas expuestas directamente en el suelo. Muchas boutiques de decoración prefieren vender exóticas plantas de interior en recipientes originales. Y si no lo hacen, ¿por qué no se lo sugiere usted mismo? También las tiendas de objetos de regalo podrían estar interesadas en plantas pequeñas, como las violetas africanas o cactus en atractivas macetas (busque recipientes en mercadillos y tiendas de objetos usados). Otra posibilidad está en el campo alimenticio, en el que puede usted tener éxito con hierbas especiales, verduras para ensaladas y vegetales exóticos para restaurantes que pueden tener dificultades para conseguirlos en cantidades pequeñas y regulares.

TRABAJAR CON FLORES

Si le gustan las flores, el panorama de sus posibilidades comerciales, en todas las etapas de su desarrollo, es enorme. Puede empezar con plantas pequeñas que crecen a partir de semillas y llegar hasta plantas perennes en pleno desarrollo para las cercas. Están también las flores para cortar, las flores comestibles para ensaladas, las flores secas, las flores prensadas para cuadros y postales y, finalmente, las mezcolanzas hechas a base de pétalos sueltos.

Temas

La mejor manera de atraer clientes es agrupando las plantas con flor en colecciones especiales: flores para cortar, flores para aromatizar, plantas de jardín campestre (que se están haciendo cada vez más populares) o curiosidades (flores siempre verdes como el tabaco, las campanillas irlandesas, la *Alchemilla mollis* y las elegantes euforbias). O quizá le llamen a usted la atención las flores en blanco y negro; existen versiones en negro de multitud de flores, desde malvas hasta violas y pensamientos. También hay muchas versiones en blanco.

Colecciones monocolores

Otra idea sería la de ofrecer elegantes colecciones de flores de un solo color en forma de plantas: rosa, blanco, amarillo o azul, o mezclas de colores pastel. Busque ideas en los catálogos. Esas mismas flores se pueden cultivar para hacer ramos frescos para decoración —un mercado muy rentable una vez que haya establecido los contactos— o floristas. Pero compruebe que las especies que ha elegido hacen buenas flores para cortar; no todas las plantas las hacen, por supuesto.

También podría dedicarse al cultivo de una determinada flor. Éste también es un campo abierto y amplio, sobre todo para flores medio olvidadas —en la época victoriana, por ejemplo, hacían furor las violetas— e incluso para plantas pequeñas de tipo estándar de entre la amplia variedad de plantas decorativas.

151

Flores secas

La venta de flores secas para ramos y centros puede ser una magnífica idea ya que pueden alcanzar unos precios elevados, a condición de que procure cultivar plantas insólitas. Es sorprendente que casi todo se pueda secar, desde las cabezas de hortensia hasta las etéreas gipsófilas, sin olvidar las hierbas ornamentales, que son tan fáciles de cultivar. Necesitará un lugar seco y cálido, y protegido de la luz del sol para obtener los mejores resultados. Júntelas en manojos, usando goma elástica (se encoge a medida que lo hacen los tallos y así los sigue manteniendo unidos), y cuélguelas boca abajo. Las flores con cabeza grande se pueden «apostar» en los agujeros de una tela metálica encajada en un marco.

Consiga libros sobre flores secas en una biblioteca, para ver lo que se puede hacer en este terreno, y experimente. No se limite sólo a ramos sencillos; piense también en guirnaldas, ramilletes y otras formas y tamaños. Y recuerde que para muchas de ellas el proceso de secado se puede acelerar utilizando un microondas.

Flores prensadas

Compre una prensa sencilla, o hágasela usted mismo, y si tiene talento artístico, podrá entrar en el mundo mágico del prensado de flores. Las flores prensadas se utilizan para crear atractivos cuadros, o se puede montar sobre cartulinas para conseguir tarjetas de felicitación poco usuales. Una de las empresas británicas de más éxito en la venta de tarjetas con flores prensadas empezó como una afición de su propietaria en sus ratos libres.

Penny comenzó a interesarse por las flores prensadas cuando se hizo cargo de un jardín abandonado en Cornwall. «Yo buscaba alguna manera de conservarlas», explica. De este modo, creó toda una serie de cuadros de flores prensadas totalmente novedosos, algunos de ellos con un atractivo abstracto, engomando sus flores sobre tejidos ricos como el terciopelo. Hoy día, con varios libros sobre el tema en su haber, reparte su tiempo entre sus cuadros y sus escritos.

Popurrí

Hay que advertir que las tiendas, e incluso los supermercados, están completamente inundados de detalles hechos con muchas cosas, la mayoría de ellos de un mal gusto notable, y que básicamente son tan sólo virutas de madera coloreadas y aromatizadas con perfume barato. Pero sigue habiendo mercado para cosas auténticas si utiliza destilaciones sutiles de perfume natural y les da después un atractivo visual: seque algunas cabezas de flor en sílice gelatinosa y desparrámelas después por encima. Vale la pena salir en busca de recetas tradicionales; un popurrí del siglo XVII, por ejemplo, podría resultar muy atractivo para los turistas.

Arreglos florales

Si le llaman la atención los arreglos florales, podría ir más allá del simple cultivo y expandir su negocio a los arreglos para bodas y otras ocasiones especiales, con una diferencia: que se trataría de flores cultivadas por usted mismo en casa. Otra idea sería confeccionar piezas interesantes para la decoración de mesas de banquetes: centros bajos, de modo que los invitados puedan verse las caras por encima de los ramilletes. Asegúrese de que cultiva las flores adecuadas a este propósito; no querrá perder el tiempo con algo que se marchite fácilmente o que dure muy poco. Un invernadero o túnel de polietileno le será indispensable para proteger de la lluvia los delicados pétalos.

Si le llama la atención la idea de dedicarse a la decoración floral, valdría la pena que asistiera a algún curso sobre floristería. También puede generar ingresos dar charlas sobre el cul-

tivo floral o explicar la historia de las flores en clubs o asociaciones, siempre que pueda venderles plantas a sus oyentes
al mismo tiempo.

HORTALIZAS ESPECIALES

Aunque sería de locos dedicarse a cultivos de huerta como las
patatas y las coles, el cultivo de hortalizas puede producir beneficios si elige el tipo apropiado. No obstante, si le sobra espacio y prefiere plantar las tradicionales zanahorias, cebollas
y retoños, todavía existe un hueco en el mercado para los cultivos orgánicos, si está dispuesto a prescindir de abonos químicos. Las frutas y verduras cultivadas de un modo absolutamente natural alcanzan unos precios muy elevados, no sólo
en las verdulerías, sino también en las tiendas de alimentación
naturista. Y probablemente podría hacerse con una ronda de
entregas directas a una serie de consumidores habituales.

Si tiene un espacio en el que hacerlo, considere la posibilidad de cultivar hortalizas de *gourmet* con un beneficio máximo: coliflores enanas individuales, coles de un colorido ornamental aunque comestibles, o patatas especiales como las
típicas francesas. Tiene en este campo oportunidades diversas:
puede ponerse en contacto con las mejores verdulerías o hacerse con sus propios clientes, a los que proveerá directamente.
También puede contactar con restaurantes especializados y
cultivaro sobre pedidos, a condición de que pueda usted ofrecerles un servicio de confianza. Las flores de calabacín, por
ejemplo, si sabe cultivarlas, tienen mucha demanda entre los
cocineros, que las utilizan para elaborar exóticos entrantes.
También las flores comestibles, como la caléndula, el pensa-
miento y el berro, por citar sólo tres, se pueden cultivar y colocar en el mercado de la restauración en paquetes de mezclas.

Hay un mercado en expansión para las hortalizas especiales. El ubicuo rabanillo y las lechugas coloridas quizá no le han

llamado la atención porque hoy día se encuentran en todas partes. Pero debería ser capaz de conseguir un sustancioso beneficio otoñal exhibiendo viejas hortalizas exóticas orientales para ensalada, como las hierbas de mizuma, las rectilíneas cebollas japonesas de primavera y las hojas de crisantemo comestible, que maduran mucho más rápidamente que las hortalizas de ensalada europeas y pueden soportar climas fríos. Amplíe también su estación de cultivo cubriéndola adecuadamente cuando llegue el invierno.

Verduras exóticas

No hay duda de que las verduras insólitas y exóticas pueden ser provechosas, incluso en el caso de que se trate sólo de versiones miniaturizadas de productos como el maíz dulce o la remolacha. Así que lleve a cabo su propia investigación del mercado, busque y compruebe lo que ofrecen los colmados de primera clase y cultive y venda lo mismo, producido a partir de semillas, a las pequeñas tiendas locales. Sorpréndales también con productos como alubias tipo «espagueti» que no encontrarán en cualquier parte; una vez cocidas y abiertas tienen el mismo aspecto que los espaguetis. O proporciónelos calabazas con formas poco habituales. Una buena idea es ofrecer a sus clientes recetas para su elaboración.

Siembra en sucesión

Para cumplir con sus entregas y no decepcionar a sus clientes, es vital que siembre sus hortalizas en sucesión, de modo que pueda cosecharlas semanalmente. Amplíe la estación de cultivo con la ayuda de un invernadero casero. Sembrar cada semana o cada diez días también le evitará sobrecargas cuando tenga dificultades para librarse de todas sus existencias. No obstante, a pequeña escala, podría ofrecer directamente a sus clientes habituales una serie de verduras congeladas.

Si dispone de mucho espacio, también podría intentar cultivar plantas a la vieja usanza y difíciles de encontrar, como nísperos, membrillos y fresas alpinas. Si consigue una cosecha prolífica, podría considerar la posibilidad de preparar conservas y confituras.

HIERBAS EN ESPACIOS REDUCIDOS

Si su huerto o jardín es pequeño, una buena forma de ganar dinero es especializarse en hierbas aromáticas o medicinales, pues puede encajar muchas de ellas en un espacio reducido, y se venden a unos precios relativamente altos. Las hierbas son plantas acomodaticias y prefieren un suelo que no sea demasiado rico, aunque no debería estar saturado de agua. Y, a condición de que tengan sol, son relativamente resistentes a las plagas (pues su olor repele los insectos) y las enfermedades.

Aparte de los trillados menta, tomillo y salvia, existen más de un centenar de hierbas insólitas entre las que elegir y que se pueden utilizar de muchas formas, no sólo para venderlas como plantas vivas sino también secas. La gente parece que no se cansa nunca de visitar los herbolarios y disfruta escuchando la historia de las plantas. Así que si tiene tierra de sobras, le será rentable construir un jardín bordeado con una cerca de germandrías podadas, santolinas o boj, y lleno de muestras de plantas, de modo que sus posibles clientes puedan ver qué aspecto tienen cuando han crecido las hierbas que pretenden cultivar.

Las macetas de hierbas aromáticas son también excelentes objetos de regalo; recorte las plantas adecuadamente y pinte las macetas de barro con pintura acrílica blanca para conseguir el máximo efecto. Asimismo, coloque las hierbas en soperas de porcelana blanca u otros recipientes similares, de modo que se puedan vender para adornar un centro de mesa de comedor; añada unas tijeras menudas de modo que los comensales puedan sazonar con ellas sus ensaladas. Las hierbas corrientes se venden bien. Confeccione arbolillos de copiosa fronda con mirtos, romeros y salvias de hojas pequeñas, y cultívelos en macetas pequeñas. Una selección de hierbas apropiadas para la barbacoa —romero, orégano, salvia y cosas así— se vendería bien cultivada en un macetero metálico apropiado para el exterior.

Las hierbas históricas, como la hierba de bálsamo y la ruda —que se utilizaba para repeler a las brujas—, se pueden plantar en el mismo macetero, junto con sus historias para ser leídas. Otra idea original sería vender las hierbas correspondientes a cada signo del Zodíaco (un buen libro de astrología le dirá cuáles son). También puede ofrecer un contenedor con plantas doradas y plateadas; por ejemplo, la planta del curry, la mejorana dorada y la verbena jaspeada de limón.

Si tiene maña para cultivar albahaca a partir de semillas y posee el invernadero adecuado para ello, existen quince variedades diferentes, ninguna de las cuales suele estar disponible en las tiendas actualmente; la albahaca sagrada, la de cresta negra, la de hoja alechugada y la albahaca anisada son sólo algunas de las variedades que puede encontrar en catálogos de semillas especializados, y son plantas que se venden muy bien para los bordes del jardín, así como para ponerlas en la repisa de la ventana, junto al fregadero de la cocina.

Las hierbas como regalo

Optimice sus beneficios convirtiendo las plantas que no ha vendido en objetos de regalo. Es muy fácil hacer vinagres de hierbas, e incluso mostazas, y las hierbas secas se pueden convertir en auxiliares culinarios como aromatizantes. Pero tenga en cuenta que ha de seguir las normas de la legislación alimentaria y tiene que asegurarse de que las hojas están limpias y libres de insectos. También se venden bien los ramos de hierbas secas para decorar la cocina. El consumidor puede ponerlas en un jarro con agua o colgarlas en seco. En el terreno aromático, las hierbas secas se pueden utilizar para colocar bajo las almohadas y para hacer bolsitas de popurrí y de lavanda.

El mercado medicinal

Está también el mercado de las plantas medicinales: a los herbolarios, homeópatas y otras personas que trabajan con plantas aromáticas les puede resultar difícil conseguir aprovisionamiento a nivel local, por lo que se pondrán muy contentos cuando oigan hablar de usted. Los restaurantes y tiendas de alimentación para *gourmets* sabrán apreciar un servicio de hierbas cortadas si puede usted ofrecerles un aprovisionamiento regular, un nivel de calidad alto y las cosas más insólitas: ajo moruno en lugar de cebolletas comunes, por ejemplo, o salvia fresca tricolor en vez de la ordinaria, así como insólitas variedades de menta jaspeada.

PLANTAS DE INTERIOR

Cuando se llega a analizar el mercado de las plantas de interior, las posibilidades son infinitas. Déjese de plantas sencillas en maceta y haga que corra su imaginación. Puede ofrecer jardines de agua interiores a punto para instalar, por ejemplo, o cuencos con nenúfares en miniatura. Podría especializarse en árboles de interior, como el *Ficus benjamina* , en helechos colgantes o en bolas florales utilizando fucsias, *Begonia semperflorens* y helechos de Boston.

Otra posibilidad son las plantas en miniatura: violetas africanas enanas plantadas en grandes copas de coñac, o narcisos y tulipanes especiales para interior. También hay plantas de hoja perenne en miniatura, como los enebros enanos, y otras plantas muy decorativas en terrarios ornamentales.

Podría ofrecer macetas con hierbas de interior o un cesto de hierbas para colgar en la cocina. Hasta podría plantar un jardín silvestre de interior, bordeado de musgo. En Norteamérica hay una mujer que se gana la vida vendiendo planteles de hierba gatera de interior, una especie de césped fresco, en recipientes de madera, para ser utilizados por los gatitos en el interior de las casas o en terrazas o balcones.

Un jardinero que disponga de suficiente espacio en su invernadero podría cultivar plantas de interior para vender, pues es sorprendente la facilidad con la que se reproducen muchas plantas de aspecto exótico. Deseche los cactus navideños, la flor de pascua y las azaleas de interior, por supuesto, pues el mercado está saturado. Pero puede muy bien intentarlo con algunas otras: la lengua de suegra (*Sansevieria*) y la violeta africana, por ejemplo, se pueden reproducir a partir de trozos de hoja, y los geranios (pelargonios) están entre las plantas más fáciles de reproducir por esquejes. Si ofrece esas plantas cultivadas en macetas decoradas, más que en tiestos corrientes, incentivará sus ventas. Las semillas de plantas exóticas de interior sembradas en primavera le proporcionarán plantas de buen tamaño para venderlas en Navidad.

Casi todas las plantas de interior necesitan algo de calor, aunque algunas, como el ciclamen, por ejemplo, pueden crecer en ambientes fríos. Para poder competir con los grandes almacenes que actualmente venden plantas de interior en grandes cantidades, deberá especializarse. Los cactus y otras plantas suculentas, si están plantadas en macetas atractivas, se venden muy bien.

Ofrezca a sus clientes algo especial: grandes maceteros con un buen número de plantas distintas cultivadas en ellos o una selección de plantas como la aspidistra, que puede crecer en ambientes débilmente iluminados. Plantas a las que es casi imposible matar —la lengua de suegra, por ejemplo— pueden constituir una buena línea de venta para principiantes. Las trepadoras de interior, como el filodendro, tramadas en una estructura de bambú, pueden ser también muy decorativas. Todavía mejor sería un jardín ornamental de interior, con hiedras de hoja minúscula y helechos entramados en estructuras de alambre o a modo de oasis para formar pirámides o esferas. También puede intentarlo con formas de animales en miniatura: para un arbusto recortado en forma de elefante, por ejemplo, necesitará plantar cuatro hiedras, cada una en la base de una pata, que fijará con alfileres a medida que crezcan.

VIÑEDOS

Por mi experiencia personal, he de advertirle que poner en marcha un viñedo es una empresa costosa. No sólo tiene que invertir en las viñas, sino que también es una cuestión de estacas y alambres, cercas a prueba de conejos y maquinaria no sólo para cultivar las plantas sino también para hacer vino.

No obstante, si dispone de mucho terreno adecuado —lo ideal es que tenga una pendiente encarada al sur—, no hay duda de que es una empresa fascinante. Pero estamos hablando en términos de metros cuadrados; unos mil metros cuadrados producirán, por término medio, una botella al día. No se haga la ilusión de que el consumidor va a pagar grandes cantidades de dinero por el vino que produzca; todavía existen prejuicios contra el «cultivo doméstico». Pero ganará dinero si tiene la posibilidad de montar un negocio turístico: puede exhibirlo a la gente de los alrededores, u ofrecer una cata de vinos y posiblemente algo de comer.

Robert y su esposa compraron una antigua estación de tren y la convirtieron en su hogar y en una instalación vinatera. «En seguida nos dimos cuenta de que no era suficiente con cultivar viñas —explica Robert—. Sólo cuando nos decidimos a ofrecer visitas y a servir meriendas empezamos a obtener beneficios.» Actualmente celebran también cenas de *gourmet* de vez en cuando, de las que sacan aún más dinero.

SERVICIOS DE JARDINERíA

Si además de vender plantas, puede ofrecer al mismo tiempo algún tipo de servicio, se está adueñando de un sector nuevo y exclusivo del mercado, que le reportará aún más beneficios.

¿Por qué no ofece sus servicios para plantar las especies que vende? También podría hacer negocio vendiendo macetas colgantes ya plantadas o alquilándolas a tiendas y locales públicos, y ofreciéndoles a continuación un servicio de mantenimiento.

O podría especializarse en patios, ofreciendo cubetas y maceteros listos para plantar, agrupando las plantas por gamas de color o dándoles, por ejemplo, un toque tropical mediante la mezcla de una yuca con otras especies de aspecto espigado. Podría cultivar las plantas en armazones de celulosa que son más ligeros para el transporte. Después podría transplantarlas directamente a los recipientes del cliente. Y podría disponer de cestos con bulbos de primavera listos para plantar.

Puede sacar un dinero suplementario cultivando plantas de algún modo especial. Los jardines ornamentales, por ejemplo. Un arbusto ordinario de jardín no puede alcanzar más que un determinado precio máximo. Pero si consigue que tenga una forma especial, una columna en espiral, un cono, un animal o un pájaro, entonces puede pedir mucho dinero por él. Por ejemplo, los pequeños animales esculpidos como jardín ornamental en macetas cuestan, en Gran Bretaña, entre 100 y 200 libras (entre 20.000 y 40.000 pesetas, aproximadamente). Es una cuestión de enredar y podar, por lo general sobre una estructura metálica, aunque puede usted hacerlos más deprisa recubriendo las formas con trepadoras. Obviamente, las plantas de hoja perenne son lo mejor, aunque un perro florido, recubierto con una clemátide rapaz como la *Clematis montana*, sería algo divertido para vender a un precio elevado, así como arbolillos de margaritas entubados, hechos a base de *Chrysanthemum fruticans*, o geranios normales también entubados, que tardan unos dos años en madurar.

Plantas para despachos

Otro servicio interesante sería proveer a pequeñas oficinas de ramos de flores cortadas o plantas de interior. También podría ofrecerse para instalarles maceteros y cuidarse de su mantenimiento. En las grandes ciudades hay muchas empresas dedicadas a este tipo de trabajos, pero sólo para gigantescos conglomerados empresariales. Podría copar las pequeñas empresas como despachos de abogados, gestores, agentes de seguros e incluso tiendas, y sugerirles la contratación de sus servicios de atención post-venta de un modo regular.

El cuidado de las plantas es otra idea para ganar dinero de modo suplementario. Podría o bien aceptarlas en su casa o bien cuidarlas en el domicilio del cliente y regarlas cuando la familia se ausente por vacaciones. Lo mismo se podría hacer con las plantas de jardín. Un cliente puede que tenga un lecho de flores especiales que necesitan cierta atención, y no disponga de un sistema automático de riego. Y no hay nada más desesperante que volver de vacaciones y encontrarse con que, durante tu ausencia, las cosas que has cultivado amorosamente desde la semilla se han marchitado o muerto.

Los jardineros afanosos escasean en la actualidad, así que si es bueno en los trabajos generales de jardinería, sin duda no tendrá ninguna dificultad en encontrar trabajo. Podría ofertar sus servicios de diferentes maneras, quizá especializándose en el cuidado de jardines caseros o convirtiéndose en un experto en plantas acuáticas, o en cuidar el césped.

HERRAMIENTAS ESENCIALES PARA EL TRABAJO

¿Qué herramientas necesita para empezar? Depende, claro está, del tipo de jardinería al que piense dedicarse, aunque siempre vale la pena adquirir la mejor calidad que pueda. No hay nada más irritante que una azada o, en menor escala, un desplantador que se encorve y se rompa, y eso también es una falsa economía. Si alguien desea hacerle un regalo, pídale que le compre una herramienta con hoja de acero inoxidable.

Un invernadero supone una inversión importante, aunque necesaria si cultiva plantas de resistencia media. Sin embargo, si tiene espacio suficiente, un túnel de cultivo en polietileno le proporcionará mucho más espacio. Las máquinas mecánicas como motocultores o recortadoras de setos las puede alquilar al principio, porque son bastantes caras.

Macetas: Busque macetas de segunda mano en los vertederos de basura. Si tiene que comprarlas, recuerde que las cuadradas ocupan menos espacio que las redondas y suelen ser más estables si tiene que transportarlas en el coche.

El abono para la tierra será otra necesidad básica, ya que la tierra de jardín normal suele estar llena de microbios, semillas de malas hierbas y plagas.

También necesitará **las etiquetas y un rotulador a prueba de humedad** para escribir en ellas.

Cubetas: Más adelante quizá prefiera las cubetas de madera hechas a propósito para la jardinería, pero al principio puede transportar las plantas en cualquier caja.

Cajas con celdillas. Si cultiva a partir de semillas plantas que alcanzan precios de venta altos o que son difíciles de transplantar, merece la pena exhibirlas en cajas con diferentes compartimentos. De este modo se evitará que se entrelacen las raíces. Las plantas de semilla grande se pueden exhibir en envases desechables de yogur o de crema, o en cartones de leche destapados por encima. Adquiera el hábito de conservarlos para así ahorrar dinero.

Papel de celofán y papel para envolver. Si vende flores cortadas tendrá que invertir en papel celofán y papel para envolver; si va a vender productos derivados de las hierbas, necesitará botellas y botes.

Una furgoneta o un coche con un maletero espacioso será necesario para la recolección y la entrega, de modo que pueda

cargarlo de plantas o de sacos de abono y fertilizante. (Probablemente será necesario poner unas maderas en el maletero
para que las macetas no se muevan). Más adelante, si el negocio prospera, quizá considere la posibilidad de adquirir una
camioneta de segunda mano, dotada de compartimentos especiales.

Consideraciones de espacio. Ya trabaje con semillas, flores
cortadas o plantas maduras, asegúrese de que tendrá espacio
para albergar una población creciente. Las plantas recias no
plantean problemas; pueden permanecer en el exterior. Pero
si trabaja a partir de semillas, tiene que planificar su disposición para ahorrarse paseos en el momento de regarlas.

CAPÍTULO 7

Servicios diversos

Si trabaja en un salón de belleza, una clínica o una guardería, por lo general no hay ningún motivo para que los clientes no puedan acudir a su casa en busca de los servicios que usted les proporciona. De este modo mantendrá el control de sus citas y podrá dedicar a sus clientes más atención personal.

EL NEGOCIO DE LA BELLEZA

Todos los negocios relacionados con la salud y la estética —peluquería, manicura, tratamientos de belleza y masajes, así como el cuidado de los pies— pueden llevarse a cabo en casa si se dispone de una habitación exclusiva para ello. Algunas reglamentaciones municipales exigen licencias especiales para la utilización de parte de la casa con tales propósitos. La mejor manera de enterarse es preguntar discretamente por ello.

Lo que sí es cierto es que tiene que reservar una habitación para sala de tratamiento. Además, tiene que disponer de una especie de sala de espera. Y quizá también de un lavabo para los clientes.

Peluquería

Hace dos años que Lisa montó un servicio de peluquería en su casa, harta de tener que acudir cada día a un salón de Londres. Tiene muchos clientes que están muy contentos con sus servicios, sobre todo personas disminuidas o ancianas, a las que les resulta difícil aparcar en la ciudad, o madres con niños pequeños.

Empezó con un pequeño grupo de clientes habituales del salón y ha conseguido su clientela actual a base de recomendaciones. Si necesitase más, se anunciaría en el periódico local. Pertrechada ya con el equipamiento básico de peluquería, no tuvo que comprar más que un pequeño secador portátil de campana. Los champús, cremas acondicionadoras, lociones de permanente y lacas los compra en un almacén mayorista local.

«Los horarios son infames, por supuesto —explica—. Parece como si todo el mundo quisiera peinarse cuando vuelve del trabajo o los fines de semana.» De vez en cuando, Lisa va a casa del cliente para peinarlo; cuando están enfermos, por ejemplo. En estos casos les cobra un suplemento, para cubrir el tiempo y los gastos del desplazamiento.

Para Lisa es un inconveniente ser demasiado amable con los clientes (sentarse a tomar un café o un trozo de tarta con ellos, por ejemplo) ya que le supone perder horas de trabajo. «Y tengo una norma —añade—. Nunca invites a hombres que no conozcas a cortarse el cabello en tu casa, y no pongas carteles anunciando tus servicios en las vitrinas de tiendas dudosas… ¡Podrían confundirte con una prostituta!»

Dinero extra

Consiga un ingreso suplementario vendiendo productos de belleza a sus clientes. Ya se trate de lociones corporales, instrumental de manicura o champús y acondicionadores especiales, encontrará a sus clientes predispuestos a adquirírselos a usted. Póngase en contacto con las compañías de cosméticos menos conocidas o con las que venden por correo o a través de reuniones, y conviértase en su distribuidor local. También podría fabricar sus propios productos para el cuidado de la piel y venderlos; el beneficio sería así mayor.

Costes

A la hora de establecer los precios, no olvide incluir gastos como el lavado de toallas y el consumo extra de energía por el uso de secadores, tenacillas calientes, máquinas de masaje, agua caliente permanente y quizá calefacción. Aparte del equipamiento básico, no olvide comprar una agenda para apuntar las citas. ¡Los nombres y fechas anotados en el dorso de sobres suelen perderse con facilidad! También puede serle útil un teléfono inalámbrico, con el que evitará tener que abandonar el trabajo para atender cualquier llamada.

Instructor de gimnasia

En esta época del «culto al cuerpo», cualquiera que esté cualificado para dar clases de gimnasia puede ganar dinero en su casa impartiendo lecciones individuales o para grupos reducidos. Pero tiene que saber exactamente lo que hace, pues unos ejercicios mal practicados pueden producir tirones musculares, todo tipo de males, dolores y problemas para sus clientes. Así que antes de nada hay que tener la formación necesaria. A menos que trabaje con equipamiento sofisticado, como una máquina Nautilus, todo lo que va a necesitar es un reproductor de casetes de música, una simple barra de pared o un *Step*, una caja de plástico para trabajar los muslos y caderas.

Eche un vistazo a los vídeos sobre *fitness* que salen al mercado. Recuerde que necesitará un lugar para que sus clientes se cambien, y quizá también para que se duchen después de la sesión.

Asesoría de colores

Trabajar como asesor de colores personales es una idea cada vez más popular que nos ha venido de Norteamérica. Funciona sobre la premisa de que tanto los hombres como las mujeres pueden ser agrupados en una u otra estación del año de acuerdo con el color de sus ojos, su cabello y su piel. Según esto, las ropas deberán adecuarse a la gama estacional de colores y, en el caso de las mujeres, el maquillaje deberá armonizar con su determinada gama de colores.

Existen organizaciones que facilitan formación a personas adecuadas para cualificarlas como asesores, y las respaldan con material promocional, cosméticos, accesorios y muestrarios de tejidos. Se han publicado también varios libros sobre el tema, entre ellos *Color Me Beautiful, Color for Men* y el *Color Me Beautiful Make-up Book*. Si tiene facilidad para el trato personal y ha trabajado en el negocio de la moda —quizá como dependiente auxiliar—, considere la posibilidad de formarse como asesor de colores para una de estas organizaciones.

TRABAJAR CON NIÑOS

Si le gusta trabajar con niños, o cuidarlos, se presenta ante usted todo un campo de posibilidades para hacerlo en su propia casa. Actualmente existen ciertas leyes que regulan las profesiones relacionadas con el cuidado de niños, así que compruébelas atentamente antes de aceptar la responsabilidad de albergar de forma habitual a los hijos de otras personas. Relevar a las madres durante unas horas mientras salen de compras es una buena manera de ganar dinero. Al mismo tiempo estará proporcionando un servicio muy necesaro a la comunidad.

Las formas de ganar dinero cuidando niños son infinitas, como lo demuestran las sugerencias que vienen a continuación.

Cuidar niños

Si piensa dedicarse a cuidar niños, olvídese de la idea de tener una casa impecable. Es de absoluto sentido común quitar de en medio todos aquellos objetos que guarda como tesoros, especialmente los que son rompibles. Lo mismo hay que decir de las alfombras valiosas. Y si es de esas personas que se desesperan cuando un niño pequeño se pone a hacer garabatos en el papel que recubre la pared, tiene dos opciones: o dedica una habitación de la casa exclusivamente a sala de juegos y la amuebla en consonancia, ¡o se busca otra ocupación!

Sus clientes van a ser principalmente niños menores de cinco años, que a veces no tienen plaza en las guarderías públicas y son demasiado jóvenes para ir a la escuela. No obstante, puede que se encuentre con que son necesarios sus servicios para cuidar niños más grandes, en edad escolar, durante las horas que median entre la de salida del colegio y la de regreso del trabajo sus padres.

El cuidado de niños, lógicamente, está regulado por los servicios sociales del municipio, que probablemente le exigirán que se registre. Le harán una visita para asegurarse de que las condiciones son adecuadas y de que puede usted proporcionar actividades para mantener a los niños felices y ocupados, tanto dentro de la casa como fuera de ella.

Margaret, que tiene un hijo y una hija pequeños, ha descubierto que cuidar a dos o tres niños más no supone un incremento excesivo de trabajo. «De hecho, eso mantiene ocupados a los míos», explica. Tiene que estar vigilando al pequeño grupo, claro está, y esto le impide realizar las tareas domésticas al mismo tiempo, aunque ha descubierto que lo que sí puede hacer mientras tanto es tejer. Y de este modo se saca un dinero extra haciendo jerseys y chaquetas para niños cuyas madres están dispuestas a comprarlos.

«Mi desembolso inicial fue mínimo —explica Margaret—. No aceptaba bebés, sino niños que ya caminaban. Mis hijos tienen tantos juguetes que había para todos. Aparte de esto, sólo invertí en un rollo de papel de revestimiento mural para que ellos puedan dibujar en él, algo de pasta de modelar y rotuladores de fieltro, además de vasos y platos irrompibles para almorzar. Estoy contenta de mis clientas, que se han convertido en amigas. De hecho, una de ellas me hace la compra cuando va al supermercado.»

Ser un ama de casa perfeccionista y cuidar niños son dos cosas incompatibles, y Margaret admite amablemente que su casa está empezando a destartalarse. «Afortunadamente, a mi marido no le importa; está demasiado ocupado trasteando con su moto en el cobertizo para darse cuenta del desorden.» El marido de Margaret ha construido un gran baúl para guardar todos los juguetes.

Grupos de juego y guarderías

Si es persona cualificada para llevar una guardería o tiene mucha experiencia por haber trabajado en este campo, siempre existe la necesidad de crear grupos de juego o guarderías privadas. Para ello, antes de nada tiene que registrarse en los servicios sociales de su municipio, y quizá descubra que pueden ayudarle. Existen unas normas estrictas que regulan este tipo de trabajos.

Números de teléfono para emergencias

Ni que decir tiene que cuando acepta responsabilizarse de los hijos de otras personas tiene que asegurarse de que posee toda la información básica que podría necesitar. Números de teléfono para emergencias: el del médico de los niños y los del padre y la madre, por ejemplo. También información suplementaria como la fecha de nacimiento de los niños. Averigüe también cuáles son sus comidas favoritas, qué cosas se niegan a comer y si los chicos son alérgicos a alguna sustancia. Si el niño es muy pequeño, tiene que saber a qué horas del día duerme la siesta y si ya sabe sentarse en el orinal. Si va a dedicarse al cuidado de niños, puede que necesite hacer alguna inversión en equipamiento. Recuerde que en los mercadillos y tiendas de segunda mano puede comprar cunas, vasijas y otras cosas usadas a precios razonables. Mire también los pequeños anuncios de los periódicos.

Talleres de formación

Puede que no quiera dedicarse a cuidar de niños de modo regular, pero si tiene usted aptitudes artísticas u organizativas y una casa y un jardín suficientemente grandes, piense en la posibilidad de dirigir talleres de formación en vacaciones o fines de semana para niños en edad escolar, otro modo de ganar algún dinero y, al mismo tiempo, ayudar a padres atareados. Explote sus habilidades: enséñeles a pintar, a trabajar con arcilla o monte un pequeño grupo de teatro: los chicos se disfrazarían y pondrían en escena obras escritas por ellos mismos.

Acogida

Acoger a niños cuyos padres no pueden o no quieren cuidarlos es uno de los trabajos que más valen la pena en el campo del cuidado de niños. Pero no puede ni debe considerarse como una forma de obtener ingresos. Es una vocación que requiere toda la paciencia, comprensión, cariño y cuidados de que sea usted capaz, a menudo con cargas suplementarias de dificultad o incluso tragedia.

Iris acogió a ocho niños durante años, mientras criaba a sus cuatro hijos. «No era nada fácil —admite—. Tuvimos problemas durante años, pero salimos adelante. Ahora ya se han ido todos de casa, pero yo todavía los considero como de mi familia y sigo teniendo contacto con todos. Tres de ellos se han casado y tienen hijos, y me da la impresión de que haber vivido en un hogar feliz, que es lo que hicieron ellos, les ha ayudado a montar sus propias familias.»

Si cree que la responsabilidad de acoger a un niño quizá sea demasiado para usted, aunque quiere ayudar, considere la posibilidad de acogerlo durante períodos breves. O haga lo que yo hice y cuide a un niño que esté de vacaciones. Cuando Arthur se vino a vivir con nosotros, vivíamos en una barcaza. El responsable local del cuidado de niños realizó primero una inspección y lo encontró todo en regla. A partir de entonces lo tuvimos durante varios veranos, hasta que consiguió una adopción feliz.

TRABAJAR CON PERSONAS ANCIANAS Y DISMINUIDAS

Si está preparado para cuidar en su casa a una persona frágil, anciana, mucha gente se alegrará al saber de sus servicios, sobre todo hoy día, en una época en la que muchos servicios sociales básicos han sido recortados. Técnicamente, habría que considerarlos como inquilinos, aunque es posible que necesite algún conocimiento básico sobre cuidados domésticos.

Albergar a parientes ancianos durante períodos breves, para darles un respiro a quienes los cuidan habitualmente, es otra forma de utilizar su hogar de modo creativo, sobre todo si tiene aptitudes como cuidador. Tendrá que tener tacto y paciencia, y saber escuchar.

También podría ofrecer estos valiosos servicios a disminuidos físicos o mentales, acogiendo a uno de ellos quizá un día por semana para relevar a los parientes que lo cuidan habitualmente. Póngase en contacto con los servicios sociales de su localidad; quizá ellos conozcan a gente que necesite su ayuda.

ENSEÑAR

Si tiene una determinada habilidad, ¿por qué no explotarla comunicando su experiencia a otras personas? Ya se trate de un arte o de una artesanía, de un aspecto de la música o del lenguaje, alguien habrá que quiera aprenderlo de usted.

Lenguas

Si tiene aptitudes para las lenguas y puede conseguir que la enseñanza sea divertida, puede abrirse paso en el mercado con clases particulares o para grupos reducidos. Anuncie sus servicios añadiéndoles algo adicional. Por ejemplo, podría dar clases especializadas, para ir de tiendas, para comprar una casa (con un glosario de todos los requerimientos legales) o para visitar lugares de interés en el idioma que haya elegido. Los cursos de lenguas en vídeo o en casete de audio, disponibles en las principales librerías y tiendas de discos, le pueden servir de gran ayuda a la hora de estructurar sus lecciones. También podría ponerse en contacto con empresas locales y ofrecerles instrucción individual para los ejecutivos que tienen que viajar al extranjero.

Si va a trabajar con grupos, no cometa el error de incluir en el mismo a principiantes y a personas con un nivel relativamente alto. Las personas que se enfrentan con lo básico de un idioma nuevo por lo general se sienten totalmente desmoralizadas ante una situación como ésta, mientras que los más avanzados se aburren. Hágales una simple prueba de nivel y sepárelos en consecuencia. No se limite a predicarles, haga que las clases sean vivas. Podrían, por ejemplo, actuar como si fueran a comprar verduras al mercado; o practicar con la compra de ropa. Suscríbase a una o dos revistas extranjeras, para estar al día de todas las novedades que se producen.

Enseñar la propia lengua

Enseñar su propia lengua como idioma extranjero o como segunda lengua es un trabajo que vale la pena. En el primer caso, puede encontrarse con cualquiera, desde un grupo de hombres de negocios que necesitan un curso relámpago hasta escolares extranjeros de vacaciones. En el segundo, tendrá a inmigrantes, sobre todo a sus esposas, que tratan de apañárselas para actividades básicas como la compra, visitar al médico o la escuela, cosas en las que podría proporcionarles una valiosa ayuda.

Para este trabajo se necesita tacto, sentido del humor y una gran dosis de paciencia. Puede intentar sacarse títulos oficiales, que más tarde le servirán para conseguir trabajo en colegios. Constituye una gran ventaja poder mostrar vídeos, pues animan mucho las clases. Podría mostrar algunos de su propia cosecha, de usted mismo yendo de tiendas o cogiendo un tren, por ejemplo.

Si enseña su propia lengua como idioma extranjero (igual que si enseña una lengua extranjera a sus compatriotas) y dispone de espacio, podría incrementar sus ingresos realizando cursos de inmersión durante fines de semana, teniendo grupos reducidos y haciéndoles hablar exclusivamente en el idioma que les está enseñando. Si dispone de habitaciones de sobra, anímeles a quedarse y saque un dinero suplementario por el alojamiento.

Cocina

Si tiene una cocina espaciosa y bien presentada y unas aptitudes determinadas para, por ejemplo, hacer pasteles y decorarlos, cocinar un *cordon bleu* o elaborar algún tipo de comida exótica —curris, por ejemplo—, ¿por qué no lo explota? Las clases de cocina para grupos reducidos sobre cualquiera de estos temas serían bien acogidas por los aficionados locales.

Para ello, necesitará más de un juego de fogones, a menos que esté pensando en hacer simples demostraciones. Es relativamente fácil instalar uno o dos fogones eléctricos pequeños de segunda mano o, en función de lo que vaya a cocinar, cocinillas de sobremesa. Si tiene algo realmente interesante que enseñar, podría pedir tarifas muy altas por sus clases. Considere la posibilidad de combinar sus clases con alguna otra persona. Si conoce el campo de la jardinería, por ejemplo, puede tener su «día de las hierbas», haciendo una mezcla de enseñanzas sobre el cultivo y la forma de cocinarlas, y de paso vendiendo a sus alumnos productos derivados de las hierbas y plantas vivas.

Informática

Si sabe todo lo que hay que saber sobre un determinado programa de ordenador, considere la posibilidad de impartir clases particulares sobre el tema. La informática, muy de moda hoy en día, atraerá a un gran número de clientes.

Música

Tradicionalmente, los profesores de música han trabajado casi siempre en sus casas y han tenido que hacerlo a horas poco normales porque la mayoría de sus pupilos prefieren acudir después del trabajo o de la escuela. Si está suficientemente cualificado para enseñar canto o algún instrumento musical, a su familia no le molestará que dedique a tal propósito una habitación relativamente aislada, aunque las torpes escalas puedan convertirse en una tediosa música de fondo. Pregunte por las tarifas a otros profesores haciéndose pasar por un posible alumno.

Alquilar una habitación a un pequeño conjunto local (un cuarteto, por ejemplo) para que ensayen seríar otra buena fuente de ingresos.

Danza

Las lecciones de danza para los más pequeños se pueden impartir en casa, si dispone de una habitación lo suficientemente grande para llevarlas a cabo. Dulcie, que había sido bailarina de ballet hasta que una lesión en un pie acabó con su carrera, decidió dedicarse a la enseñanza porque necesitaba dinero.

«Mi marido murió de repente y me dejó con esta inmensa casa que no podía vender y con unas elevadas facturas de calefacción —explica—. De modo que decidí dar clases de danza, lo que ha tenido gran éxito. La gente prefiere venir a mi casa antes que acudir a un salón de iglesia lleno de corrientes de aire. Tuve la suerte de poder convertir una vieja sala de billar en un espacio práctico, y un amigo viene a tocar el piano, aunque utilizo mucho el casete. Ahora acabo de iniciar unas clases de danza para adolescentes, a ritmo de música pop, y son un éxito… ¡tienen mucha energía de la que liberarse!»

George y su mujer, ambos jubilados, conocían a la perfección los bailes de salón, en especial los estilos latinoamericanos; gracias a ello consiguen unos buenos ingresos dando clases particulares. «Nosotros acogemos a todo tipo de personas —dice George—, ¡incluso tuvimos una alumna que se iba a ir de crucero con la esperanza de ligarse a un millonario! Sabía que iba a tener la oportunidad de bailar mucho, de modo que quiso aprender los pasos. Como nosotros fuimos muy buenos, también tenemos clientes que se preparan para participar en concursos. Nos entusiasma verlos aparecer en la televisión.»

Tutorías

Si es un ex profesor y está al tanto de los intríngulis de la Historia de España o de los últimos detalles del ingreso en la Comunidad Europea, sus servicios serán bien acogidos por padres preocupados que consideran que sus hijos necesitan ayuda. Dar clases de refuerzo a escolares que van mal con sus estudios es otra forma de utilizar su aptitud para la enseñanza. Para encontrar clientes, anúnciese en los tablones de anuncios de las escuelas locales, lugares de ocio, facultades, bibliotecas públicas, o publique anuncios en la prensa local.

Considere también la posibilidad de trabajar por correspondencia. Ésta es una idea particularmente buena si no tiene interés en tener gente en su casa.

Las clases de refuerzo no sólo son un trabajo bien pagado, sino también algo que reporta muchas satisfacciones. Ver cómo un niño retrasado aprende por fin a leer o a contar, o cómo un adolescente disléxico aprende a deletrear, proporciona un placer especial a ambos, el alumno y el profesor.

TRABAJAR CON ANIMALES

Si le gustan los animales hasta el punto de disfrutar prestándoles cuidados de forma regular, tiene muchas posibilidades para trabajar con ellos en su propia casa. Pero tendrá que tener en cuenta a los vecinos. No es el caso de montar una perrera o una gatera, a no ser que su casa esté ubicada en un tipo de barrio en el que no molesten ni el ruido ni los olores.

Cuidar animales domésticos

Montar una guardería de animales domésticos pequeños puede ser una forma útil de usar la casa. Muchas familias tienen auténticas colecciones de conejillos de indias, jerbos, tortugas de agua dulce y peces que les crean problemas cuando tienen que viajar. Y a usted acoger a pequeñas criaturas como ésas no debe representarle ningún problema... ¡a menos que tenga un gato que se las mire como posibles comidas!

Es posible, sin embargo, que tenga que cuidar por primera vez, pongamos, un hámster. La Sociedad Protectora de Animales puede acudir en su ayuda. Disponen de una serie de folletos sobre prácticamente todos los tipos de animales domésticos y siempre están dispuestos a dar consejos. Asegúrese de encontrarse con lo que realmente espera. Un amigo mío contestó a un anuncio para cuidar un animal y se encontró con un rechoncho cerdo vietnamita.

Si tiene un corral y la experiencia necesaria, podría ocuparse ocasionalmente del cuidado de animales grandes, como un póney, una cabra o un carnero, durante períodos cortos. Cuidar pájaros mientras sus dueños están de viaje es relativamente sencillo y provechoso. Cobre un suplemento por las especies grandes o que ensucian mucho. A la cotorra, por ejemplo, le gusta la fruta y al comerla la esparce tanto dentro como fuera de la jaula. Un loro acostumbrado a volar por la casa también podría ser un problema.

Cuidar perros y sacarlos a pasear de una manera regular también puede proporcionarle un buen dinero. Catherine no se imaginaba lo que iba a ocurrir cuando se enamoró de un menudo cachorro de *dachshund* (perro salchicha). Creía que el perro se quedaría en casa tan feliz mientras ella estaba trabajando, pero días enteros de lastimeros aullidos pronto alertaron a los vecinos, que llamaron a la Sociedad Protectora de Animales. Ahora lleva el perro cada día a casa de un amigo que se lo cuida; éste es un trabajo que quizá también podría hacer usted.

Como los gatos son demasiado independientes para que se los traigan a casa sin enjaular, mucha gente agradecería saber de alguien a quien llamar para que cuidase los suyos mientras están de viaje y, de paso, echase un vistazo a la casa.

Animales domésticos convalecientes

Otra oportunidad para alguien que tenga cierta formación sería acoger y cuidar animales convalecientes cuyos propietarios se ausenten por trabajo o sean incapaces de prestarles los cuidados adecuados. Póngase en contacto con el veterinario de su localidad; es posible que éste no disponga de espacio para tener animales que se estén recuperando de una operación o enfermedad, y le hará usted un favor. Asegúrese de que el propietario le da todos los detalles necesarios sobre los hábitos del animal y sus comidas favoritas, de modo que pueda usted prestarle amorosos cuidados durante su convalecencia.

Montar una residencia para perros o gatos

Ni que decir tiene que su interés por los animales ha de ser apasionado si quiere montar una residencia para perros o gatos. Para ello tiene que vivir en un lugar aislado sin posibilidades de recibir quejas de los vecinos.

No es éste un negocio en el que se pueda entrar por las buenas, y conlleva inevitablemente una gran inversión financiera. Pero en estos tiempos, con tanta gente en constante movimiento ya sea por vacaciones o por negocios, ocuparse de sus mascotas puede ser algo muy rentable.

Necesitará una licencia municipal para montar una residencia para perros en su jardín. Las autoridades querrán saber el tamaño de los cubículos en que van a estar los animales, de qué materiales están hechos y sus condiciones de calefacción y ventilación, de modo que no aceptarán un cobertizo reconvertido. También querrán conocer diversos detalles, como si va a cuidar animales enfermos o infecciosos, dónde estará el aprovisionamiento de agua, dónde almacenará la comida y qué tipo de zona de ejercicios les destinará.

No debe considerar tan sólo su cuidado, sino también su limpieza y su ejercicio. Cobre un suplemento por cuidar animales que estén en celo o a punto de estarlo, puesto que deberá mantenerlos fuera del alcance no sólo de los machos que tenga a su cuidado, sino también de perros o gatos de la vecindad.

Puesto que se va a pasar gran parte del tiempo en el exterior, merece la pena invertir en un teléfono inalámbrico que puede llevar de un lado para otro metido en el bolsillo. La ley le exige llevar un meticuloso registro de los animales, con las fechas de alta y baja, por ejemplo.

Por su propio bien, ha de tener una agenda grande o un sistema de fichas donde pueda ir anotando los detalles de cada animal, sus nombres, lo que les gusta y lo que no, y las fechas de vacunación. Si tiene alguna duda sobre las condiciones en que le entregan un animal para cuidarlo, pida un certificado sobre su estado de salud. La época de vacas gordas comprenderá las vacaciones de verano y las Navidades. Entonces necesitará la ayuda de otra persona. Pregunte por los alrededores o ponga un anuncio en el periódico local.

Hágase amigo del veterinario de su localidad: además de necesitarlo cuando sus animales se pongan enfermos, le recomendará a sus clientes y es posible que le permita anunciarse en su consultorio. También necesitará contratar un seguro especial para animales en alguna compañía de seguros especializada. Puede conseguir un dinero suplementario vendiendo pólizas de seguros para animales domésticos a los propietarios que le encargan sus cuidados.

Cría de animales domésticos

Si tiene un animal con pedigrí —un perro de lanas perfecto o un siamés de premio, por ejemplo—, es perfectamente admisible sacar dinero haciéndolos criar en casa. Las reglamentaciones no le volverán loco a menos que decida invertir en otros animales o quedarse con un número mayor de lo razonable de descendientes con intención de criarlos.

Si contempla la cría de perros o gatos a gran escala como una posibilidad de futuro, compruebe si necesitará o no una licencia municipal para hacerlo. ¡Podría ocurrir que tuviera que mudarse! No obstante, criar animales pequeños o peces de colores es una dedicación más soportable. El hijo pequeño de Avril compró un hámster con la condición de que sería el responsable del bienestar del animal.

«Puede imaginarse lo que ocurrió —explica Avril—. Cada quince días tenía que limpiar la jaula y llenar el depósito de agua.» Pensando que el hámster estaba muy solo, decidió comprarle un compañero. Ahora obtiene unos ingresos considerables criándolos y vendiéndolos a las tiendas de animales domésticos. Si va a dedicarse a la cría a pequeña escala, ganaría mucho más dinero haciéndolo con animales raros o con especies de moda, como conejos enanos, por ejemplo.

Un salón de belleza para animales domésticos

Muchos tipos de perros (los fox-terrier y los de lanas, por ejemplo) y algunos gatos de pelo largo necesitan un acicalado constante si se quiere que luzcan. Esto requiere lavarlos con champú, cepillarlos y a veces cortarles el pelo. Si tiene alguna de estas habilidades, podría aprender las otras y montar un salón de belleza para animales. La mejor ubicación sería una dependencia exterior; quizá podría reconvertir su garaje. Necesitará instalar un fregadero, un calentador de agua y algunos enchufes eléctricos. Los cepillos, máquinas de trasquilar, tijeras y champús los puede adquirir en algún establecimiento mayorista. Para incrementar sus beneficios podría vender accesorios como correas y collares, que quizá podría fabricar usted mismo.

Este tipo de negocios sólo están al alcance de alguien que sepa tratar con animales, ya que estos nunca, ni en el mejor de los casos, disfrutan cuando se les baña. Pero si ha trabajado, pongamos, como recepcionista para un veterinario o si tiene un par de perros a los que acicala usted mismo de modo regular, lo mejor es considerarlo como un negocio auxiliar al de residencia canina o cuidado de animales.

Adiestramiento de perros

Adiestrar a un gato es algo difícil, por no decir imposible. Con los perros, la cosa es diferente. Si tiene habilidad para adiestrar perros (quizá adquirida al llevar a su propio animal a clases), puede organizar un curso de adiestramiento en casa. Necesitará disponer de un gran espacio con césped o un corral para tener a varios animales a la vez. Recuerde que adiestra a los dueños además de a los perros, y que su capacidad para llevarse bien con las personas y controlarlas en situaciones extremas es tan vital como su habilidad con los perros. Algunas autoridades locales exigen una licencia municipal para esta actividad, especialmente si va a dar las clases en un edificio tipo corral. Pregunte en su ayuntamiento antes de empezar.

Anúnciese en busca de clientes, pida permiso para poner un cartel en la sala de espera del consultorio veterinario local; él o ella estarán encantados, pues a un animl adiestrado se le maneja con mayor facilidad. Intente también que se publique en el periódico local un artículo sobre usted; ésta es la mejor manera de atraer gente.

Una agencia de modelos animales

Otra forma de convertir en dinero su interés por los animales es montar una agencia de modelos animales. Hace años estaba yo embarazada y tenía que quedarme en casa temporalmente. Había estado trabajando en la revista *Vogue*, donde una de mis ocupaciones era ayudar a los fotógrafos de moda. En aquel tiempo estaba en boga utilizar animales para las fotos, y en un momento dado me había encontrado trabajando con una docena de galgos. Así que cuando me retiré temporalmente decidí ocuparme en proveer de gatos, perros y otros animales pequeños a fotógrafos y cineastas.

Muy pocas veces veía directamente a mis clientes o a los animales. Compré un ejemplar de la revista *Our Dogs* («Nuestros perros») y fui poniéndome en contacto con los criadores que anunciaban cachorros en venta; después hice lo mismo con los gatos y gradualmente me fui haciendo con un fichero de animales. Entonces me puse en contacto con teatros, compañías escénicas y equipos de televisión para ofrecerles mis servicios. Casi nunca salía de casa, pues en cualquier momento podían llamarme para pedirme, por ejemplo, un Jack Russell. Entonces me ponía en contacto con el propietario, decía cuándo y adónde tenía que llevar el perro, cobraba al solicitante y me embolsaba la comisión. La empresa tuvo un éxito enorme.

Descubrí que era un trabajo sumamente divertido. Si el proyecto me parecía interesante, llevaba yo misma los animales, y así fue como me vi compartiendo un camerino con un mono que trabajaba en una serie para la BBC. En otra ocasión tuve que llevar un asno medio a rastras escaleras arriba hasta un estudio fotográfico en el Soho.

Ahora hay muchos profesionales que se dedican a este negocio, pero es posible que encuentre un hueco si se especializa en algún animal en concreto, quizá en pájaros, reptiles o algo diferente. Siga las pistas en las revistas especializadas, como hice yo. La mayoría de las agencias de modelos animales están en las grandes ciudades, de modo que si no vive en una de ellas, a los fotógrafos locales les pueden venir muy bien sus servicios.

Criar abejas

Existen más colmenas por kilómetro cuadrado en el centro de Londres que en cualquier otra parte de Gran Bretaña, un hecho extraño que demuestra que no se necesita mucho espacio para ejercer la apicultura.

No obstante, para realizar el trabajo de modo adecuado necesita un jardín grande, sobre todo si hay niños pequeños en la familia, pues conviene mantener a las abejas bien alejadas de ellos. Y también tendrá que hacer una buena inversión en equipamiento. Antes de nada necesitará colmenas. Puede encontrarlas anunciadas de segunda mano en revistas especializadas. Pero éstas no son una buena adquisición, ya que han de ser esterilizadas antes de utilizarlas y, como novato, le será difícil averiguar cuántos años de uso les va a sacar. Así que mi consejo es que las compre nuevas. Asimismo, necesitará una máscara a prueba de abejas y un traje protector, un fumigador y utillaje para extraer y almacenar la miel.

La apicultura no es sólo una afición, sino una forma de ganarse la vida. No se librará de que le claven un aguijón; incluso a los apicultores más expertos les ocurre de vez en cuando. Puede ser que sólo le interese hacerse con el producto final, o sea, la cera y la miel. Si es así, será mejor que se los compre a algún apicultor local, antes que cultivarlos por sí mismo.

Si se inicia en este arte a partir de cero, sin ninguna experiencia previa, póngase en contacto con una asociación gremial de apicultores, que le será de gran ayuda. También puede asistir a cursos sobre el tema, para aprender las técnicas básicas; por ejemplo, cómo controlar un enjambre.

Compre su primera colonia de abejas en primavera. Si vive, digamos, en el norte, no se deje llevar por la tentación de comprar abejas que estén aclimatadas al sur; busque una colonia que haya sido criada en su propia zona. Una vez que las haya instalado, espere hasta el verano, puesto que la producción de miel, como la de las viñas, depende del buen tiempo.

Anime a sus abejas a quedarse plantando en su jardín las flores que les gustan. La mayoría de las flores de jardín silvestre —caléndulas, carraspiques, mastuerzos, adenóforas y varas de oro— favorecen la producción de miel. Entre las hierbas aromáticas que les gustan a las abejas están la mejorana, la lavanda, el marrubio y el hisopo. Incluso en el caso de que viva en el centro de una ciudad o cerca de ella, hay algunos arbustos suburbanos típicos que resultan atrayentes para las abejas: budleia, madreselva, piracanta y alguna variante del algodón, por ejemplo. Y si hay algún tilo en la vecindad, mucho mejor.

A menos que viva junto a un campo de trébol o uno de brezos, la miel que produzca será el resultado de una mezcla de néctares de diferentes orígenes. A menudo se sitúan las colmenas en el centro de un huerto, y es por una buena razón: junio es un mes en el que todavía resulta difícil encontrar flores, y las flores ricas en néctar del manzano, cerezo, peral y ciruelo les proporcionan una fuente de alimentación suplementaria. Si no tiene árboles frutales en su jardín, plántelo todo de hierba gatera, que empieza a florecer en junio, es rica en néctar y se mantiene florida durante todo el verano. Las abejas necesitan que se les preste atención de vez en cuando, sobre todo en invierno, cuando baja la temperatura y han de ser alimentadas con un jarabe hecho a base de azúcar.

La miel es algo que gusta mucho a la gente y debería usted encontrar compradores para su producción. Tenga en cuenta, no obstante, que como todo producto alimenticio, tiene que cumplir ciertas normas de peso y etiquetaje. La miel se suele vender en tarros herméticos de 250 gramos o 500 gramos y a veces también en tarros de plástico o de papel encerado. Después, los panales se han de fundir o enrollar para hacer con ellos velas de cera de abeja. Puede usted intentar la elaboración y venta de velas pulidas para decoración e incluso para cosmética. Una selección de productos de belleza basados en la miel, desde mascarillas faciales hasta cremas de día y mixturas, podría funcionar bien; estos productos se podrían vender incluso en tiendas locales de alimentación natural o por correo a través de revistas de salud. Otra salida para estos productos serían las peluquerías.

Aves de corral

Hubo un tiempo en que la producción de huevos de granja era un negocio provechoso, pero actualmente hay tantas grandes empresas que se han apoderado del mercado, que realmente no merece la pena dedicarse a ello. No obstante, puede ser que los huevos de pato o de ganso encuentren un hueco en una tienda local de alimentación naturista. Y si se las puede apañar para matar y aderezar los animales, quizá encuentre también mercado para ellos. Tiene que procurarles un lugar limpio y seco. También necesitará espacio donde almacenar el pienso.

Criar aves ornamentales también puede ser una buena forma de trabajar en avicultura.

Cabras

No se necesita mucho espacio en el jardín para tener cabras y el beneficio que se les puede sacar puede ser bastante alto si vende su leche (la necesitan un número sorprendentemente alto de personas, por ser alérgicas a la leche de vaca). Las cabras, sin embargo, necesitan una zona exclusiva para ellas, pues son realmente ciertos los chistes sobre su afición a comerse la ropa tendida, las ramas de los árboles y cualquier cosa que esté colgada. No obstante, si les proporciona un espacio para el ejercicio y un cobertizo o redil seco, vivirán bastante felices. Cómprelas siempre por parejas, pues son animales gregarios y protestarán vivamente si se encuentran solos. La manera más barata de empezar, si está dipuesto a esperar, es comprar hembras «vírgenes», o sea, cabritas y llevarlas a aparear cuando tengan la edad.

Necesita proporcionar a sus cabras un flujo continuo de agua para beber y abundante follaje y heno para comer. Esto puede incluir los desperdicios de comida casera, pero tenga cuidado con los desechos del jardín, pues cosas como el follaje del tomate o la patata pueden ser venenosas para ellas. No considere la posibilidad de cuidar cabras a menos que cuente con cierto respaldo o esté dispuesto a atarse a su casa. La rutina de alimentarlas y ordeñarlas una semana tras otra puede ser aburridísima. También tendrá que estar al tanto de posibles enfermedades en las patas o en la boca, infecciones a la que las cabras son muy proclives y de la que tiene que informar inmediatamente a las autoridades sanitarias locales.

Actualmente hay algunas restricciones para la venta de productos derivados de la leche de cabra, por lo que las autoridades sanitarias locales podrían estar interesadas en lo que está haciendo. Confíe en que conseguirá de tres a cuatro litros diarios de leche por cada animal. No necesita ser pasteurizada, aunque en crudo no se conserva mucho tiempo. Los quesos de cabra, ya sean frescos o secos, siempre se venden bien, sobre todo si están presentados de forma atractiva, envueltos en hierbas como hojas de cebollino o ajedrea, o en hojas de higuera o castaño.

Póngase en contacto con lugares especializados de su localidad, como las tiendas de alimentación naturista, para abrir mercado a sus productos. Si dispone de un espacio limitado, considere la posibilidad de criar cabras de Angora, que producen mohair.

Colección AUTOAYUDA

13 x 19 cm

LA DEPRESIÓN
del Dr. Paul Hauck

¿Qué es la depresión? ¿Cuáles son sus causas? ¿Se puede prevenir? ¿Se puede curar? ¿Existen depresiones crónicas? ¿Qué debo hacer si convivo con una persona depresiva? A éstas y a otras muchas cuestiones responde el autor en un lenguaje claro y directo.
El Dr. Paul Hauck es terapeuta especializado en temas de angustia, ansiedad y depresión. En esta pequeña gran obra no se anda por las ramas y plantea al lector todos los conceptos básicos sobre la depresión, además de equiparle con una serie de ejercicios mentales para prevenir y superar este estado del que nadie quiere ser víctima.

Ref.: 040-001
PVP: 795 pts.   Págs.: 136

MIEDOS Y FOBIAS
del Dr. Tony Whitehead

...or qué algunas personas sienten una ...primible angustia ante objetos, situa-...nes o personas que otros consideran ...rmales? El Dr. Whitehead nos explica ...ocurre en nuestra mente cuando sen-...os miedo y qué podemos hacer para superarlo.

Ref.: 040-002
PVP: 795 pts.   Págs.: 136

CÓMO TOMAR DECISIONES
de Alison Hardingham

La autora pone a su alcance toda la información y experiencia que ha acumulado en sus muchos años de práctica para que pueda Vd. entrenarse en el proceso de toma de decisiones, y para que éstas sean rápidas, eficaces y productivas.

Ref.: 040-003
PVP: 795 pts.   Págs.: 160

Ref.: 040-004
Págs.: 140   PVP: 795 pts.

CÓMO SUPERAR EL ESTRÉS
del Dr. Vernon Coleman

El trabajo agobiante al que nos tenemos que someter cada mañana, la gran cantidad de responsabilidades económicas, sociales, profesionales, personales, familiares que debemos asumir, la continua agresión a que somos sometidos por los medios de comunicación de masas, la ingente cantidad de información que estamos obligados procesar y recordar... Se diría que lo excepcional es no caer en el estrés. El Dr. Coleman nos enseña cómo conservar la serenidad mental ante las continuas agresiones de nuestro entorno. Sólo mediante un sistema fácil y práctico como el suyo los hombres y mujeres de nuestra época conseguiremos no perder el sentido de la vida.

Ref.: 040-005
PVP: 795 pts.

Ref.: 040-006
PVP: 795 pts.

Ref.: 040-007
PVP: 795 pts.